S0-AJQ-854

CHRISTINE ET
LA MAISON HANTÉE

Titres de la collection

MYSTÈRE #9

CHRISTINE ET LA MAISON HANTÉE

Ann M. Martin

**Adapté de l'américain par
Marie-Claude Favreau**

L'auteure remercie chaleureusement
Ellen Miles pour son aide précieuse,
lors de la préparation de ce livre.

Données de catalogage avant publication (Canada)

Martin, Ann M., 1955-

Christine et la maison hantée

(Les Baby-sitters. Mystère ; #9)
Traduction de : Kristy and the Haunted Mansion.
Pour les jeunes de 8 à 12 ans.

ISBN 2-7625-8245-8

I. Titre. II. Collection: Martin, Ann M., 1955-
Les Baby-sitters. Mystère ; #9.

PZ23.M37Chg 1995   j813'.54   C95-941230-1

Aucune reproduction, édition, impression, adaptation de ce texte
par quelque procédé que ce soit, tant électronique que mécanique,
en particulier par photocopie ou par microfilm, ne peut être faite
sans l'autorisation écrite de l'éditeur.

Kristy and the Haunted Mansion
Copyright © 1993 Ann M. Martin
publié par Scholastic Inc.

Version française
© Les éditions Héritage inc. 1995
Tous droits réservés

Dépôts légaux : 4e trimestre 1995
Bibliothèque nationale du Québec
Bibliothèque nationale du Canada

ISBN : 2-7625-8245-8   Imprimé au Canada

LES ÉDITIONS HÉRITAGE INC.
300, rue Arran, Saint-Lambert (Québec) J4R 1K5
(514) 875-0327

C'est l'aviron qui nous mène, qui nous mène…

— Au clair de la lune, mon ami Pierrot…

— Deux kilomètres à pied, ça use, ça use, deux kilomètres…

La tête me tourne. J'ai l'impression d'être piégée dans une pièce exiguë et suffocante avec neuf marmots chantant à pleins poumons neuf chansons différentes. D'ailleurs, c'est bel et bien ce qui se passe. Sauf que la petite pièce est en fait une fourgonnette conduite par mon frère Charles. Si elle est chaude, c'est que, dehors, l'air est étouffant et humide. Les neuf jeunes chanteurs sont les membres de l'équipe de balle molle que j'entraîne.

— À la claire fontaine, m'en allant promener…

— Trois p'tits chats, trois p'tits chats…

Je regarde Marc Tardif, l'autre entraîneur. Les mains sur les oreilles, il me sourit et hausse les épaules.

— Frère Jacques, frère Jacques…

— Petit papa Noël, quand tu descendras du ciel…

Je n'en peux plus. Mais que faire ? Les enfants débordent d'énergie. Ils sont peut-être aussi un peu nerveux parce que, cet après-midi, pour la première fois, ils affrontent les Raisins de Saint-Antonin. Chanter est probablement une façon d'oublier leurs appréhensions. En tout cas, moi, j'en ai plein le dos. Soudain, il me vient une idée. Et une bonne. Je siffle pour attirer leur attention.

— Hé ! les amis ! Si on faisait un chœur ? Chacun sera le chef de chœur à son tour, d'accord ? Je commence pour vous montrer comment faire.

Ils me regardent tous avec intérêt. Je lève les bras.

— D'abord, on va tous chanter la même chose. Et pas de chansons de Noël, il fait trop chaud. Bon, si on essayait…

— Pourquoi pas *Il était un petit homme* ? propose Marc.

— Parfait, dis-je. Prêt, tout le monde ? On y va !

Ils entonnent la chanson et au bout de deux

couplets, je donne une petite tape sur l'épaule de mon jeune frère David et je lui murmure à l'oreille:

— À toi d'être le chef.

Il prend ma place et je m'installe confortablement sur mon siège en soupirant. Aaaah! C'est beaucoup mieux.

— Merci, Christine, dit Marc.

— Oui, ajoute Charles. Merci!

Fiou! Encore une fois, une de mes idées a sauvé la situation. Je ne voudrais pas avoir l'air prétentieuse, mais ça m'arrive souvent. D'avoir des idées, je veux dire. Je ne sais pas d'où elles me viennent, mais elles surgissent dans mon cerveau, tout bonnement. Mon beau-père, Guillaume Marchand, appelle ça «l'éternel mystère du processus créateur». Moi, j'appelle ça de la chance.

Laissez-moi me présenter. Mon nom est Christine Thomas. J'ai treize ans et je suis en deuxième secondaire à l'école de Nouville. J'ai les cheveux bruns mi-longs, les yeux bruns et je ne suis pas très grande pour mon âge. Et je n'ai rien de ces filles qui semblent sortir tout droit d'un magazine de mode: je me moque éperdument de ce que j'ai sur le dos. La seule chose qui compte, c'est que mes vêtements soient confortables, ce qui fait que, la plupart du temps, je porte un jean, un chandail et des chaussures de sport.

Mais ce samedi, il fait si chaud, que j'ai préféré passer un short et un t-shirt sur lequel est écrit en rouge le nom de mon équipe de balle molle: Les Cogneurs. Marc porte aussi un t-shirt avec le nom de son équipe: Les Matamores. Certains des enfants présents — Julien, Joseph, Christian et Patricia — font partie des Matamores. Les autres — David, Bruno, Karen, Jérôme et Nicolas — sont des Cogneurs. Mais aujourd'hui, les neuf enfants font partie des Cogneurs. Marc et moi avons réuni des joueurs de nos deux équipes pour former une équipe «d'étoiles» capable de disputer des parties contre des équipes d'autres villes. Aujourd'hui, nous allons à Saint-Antonin, un village situé à trente minutes de Nouville.

Ce n'est pas la première partie des Cogneurs, mais Marc et moi avons apporté quelques changements à l'équipe depuis la dernière fois. D'après moi, c'est une bonne équipe. Je jette un coup d'œil autour de moi et je souris en regardant les enfants chanter et fausser ensemble.

Soudain, je me rends compte que des douze personnes dans cette fourgonnette, le tiers est de ma famille! Il y a d'abord Charles, mon frère aîné, qui a dix-sept ans; il y a moi; puis David, mon frère de sept ans; et enfin, Karen, ma demi-sœur. Elle aussi a sept ans et elle est très mignonne. Elle n'habite pas avec nous tout le temps. Elle et son frère André viennent passer à la maison une fin de semaine sur deux, et deux semaines en été. Le reste du temps, ils vivent avec leur mère, la première femme de Guillaume, qui s'est remariée.

J'ai oublié de dire que ma famille est assez compliquée.

Mon père nous a quittés peu après la naissance de David, laissant ma mère avec quatre enfants sur les bras! (J'ai un autre frère, Sébastien, qui a quinze ans.) Ma mère est une femme de tête et elle s'est débrouillée pour s'occuper de nous. Je l'admire énormément. Il n'y a pas très longtemps, elle a rencontré Guillaume, un homme très gentil (même si, au départ, je ne l'aimais pas beaucoup), avec une voiture familiale et un début de calvitie. Il est aussi millionnaire! Juré! Après leur mariage, nous avons emménagé dans le manoir de Guillaume, qui est immense et confortable (mais à l'autre bout de la ville malheureusement).

Si la maison n'était pas si grande, je ne sais pas ce que nous ferions, parce que la famille n'en finit plus de grandir. D'abord, ma mère et Guillaume ont décidé d'adopter une petite Vietnamienne de deux ans et demi, Émilie. Puis, ma grand-mère Nanie est venue vivre chez nous pour s'occuper de la petite.

Nous avons aussi un chiot qui s'appelle Zoé, un vieux chat du nom de Boubou et des poissons rouges. La maison est pleine, croyez-moi. Et vous savez quoi ? J'adore ça ! Je suis contente de la voir si animée et de constater que nous nous entendons tous si bien, sans faire d'efforts. J'aime aussi être entourée d'enfants, et prendre soin d'eux. J'adore garder. J'ai même fondé un club de gardiennes, le Club des baby-sitters (le CBS), dont je suis la présidente. Je vous en reparlerai plus tard.

— On y est presque ! chantonne Charles.

— Youpi ! fait Marc. Êtes-vous prêts à jouer, les amis ?

— Ouiiii ! crient les enfants.

— Parfait, dit Marc. Christine et moi avons un peu changé les formations, aujourd'hui, alors écoutez-la bien.

Je souris à Marc. C'est gentil de sa part de me laisser annoncer la formation et de dire aux enfants de m'écouter. Non pas que j'aie besoin d'aide. Je n'éprouve aucun problème à parler devant un auditoire. D'ailleurs, je suis renommée pour ne pas avoir la langue dans ma poche et pour faire preuve parfois d'une attitude plutôt... autoritaire. Je n'apprécie pas tellement qu'on me le reproche et j'essaie de me corriger, mais je dois dire que je sais comment motiver les gens autour de moi. Heureusement, Marc n'est pas intimidé par mon tempérament. Il me trouve spéciale. Et je le trouve moi aussi assez spécial. Oh! oh! est-ce que je deviens un peu trop fleur bleue? En tout cas, ce n'est pas mon intention.

Or donc, je souris à Marc, puis je prends mon bloc-notes.

— Bon, voici la formation: Bruno au deuxième but, où joue Matthieu d'habitude. (Bruno Barrette, un Cogneur, remplace Matthieu Biron, qui est absent pour la fin de semaine.) David sera receveur. Jérôme, arrêt court. (Jérôme Robitaille, un autre Cogneur, est surnommé «Le Désastre ambulant» parce qu'il collectionne les maladresses.) Karen, tu joueras au champ droit, et Nicolas sera lanceur. (Nicolas Picard est aussi un Cogneur, et sa sœur Marjorie fait partie du Club des baby-sitters.)

J'assigne maintenant les tâches aux Matamores. Je ne les connais pas aussi bien que les enfants de mon équipe (que je garde régulièrement), mais ils ont l'air très gentils.

— Julien, tu seras au troisième but. Patricia au champ centre, Joseph au premier but, et Christian au champ gauche. Compris?

Les enfants approuvent de la tête et Charles lance aussitôt:

— Nous y voilà!

Il gare la fourgonnette et nous déchargeons l'équipement. Un gros sac plein de bâtons, de coussins et de balles sur le dos, je conduis tout le monde au terrain.

— Salut, Christine! lance quelqu'un.

C'est Anne-Marie Lapierre, ma meilleure amie et la secrétaire du CBS. Elle est assise avec les autres membres du Club, qui sont venues assister à la partie. J'ai bien de la chance d'avoir de si bonnes amies. Je leur envoie la main en souriant, mais pour l'instant, j'ai trop de choses à faire pour leur parler.

— Christine, je suis là si tu as besoin de moi!

Je me retourne et j'aperçois Jacques Cadieux, qui a promis d'être disponible si nous avions besoin d'un remplaçant. Il a mis son t-shirt des Cogneurs et il semble prêt à jouer. Léonard et Annie Papadakis aussi. J'aperçois quelques Matamores assis dans les gradins. En tout cas, si un de nos joueurs a besoin de repos, nous n'aurons pas de mal à le remplacer.

En plus, Vanessa Picard (la sœur de Nicolas et Marjorie) et Charlotte Jasmin (une autre des petites filles que nous gardons) sont venues nous encourager. Il ne manque que Hélène Biron, la sœur de Matthieu, qui est partie avec ses parents. (D'habitude, elle est toujours là pour encourager les joueurs.)

Je vois aussi monsieur et madame Picard, ainsi que la mère et le beau-père de Karen et André. Ce dernier est d'ailleurs assis sur les genoux de sa mère, fin prêt à applaudir sa grande sœur.

La partie commence. Je vous épargne les détails, mais c'est une partie très chaude et très excitante. Les Raisins sont forts et ils conservent la tête durant les cinq premières manches. Hum! nos Cogneurs semblent éprouver quelques difficultés! Je n'arrête pas de regarder le ciel, souhaitant presque qu'il se mette à pleuvoir et que la partie soit annulée. Ce serait mieux que de perdre. Mais, malgré que l'air soit lourd comme du plomb et saturé d'humidité, il ne pleut pas. Heureusement, parce que, finalement, nous gagnons la partie. (Et c'est encore plus agréable de gagner quand on a dû mettre beaucoup d'énergie pour y arriver.)

Nos admirateurs s'empressent de venir nous féliciter. Il tombe quelques gouttes de pluie, mais il fait tellement chaud qu'on n'en fait pas de cas.

— Bon travail, Christine, me dit Anne-Marie. Elle est suivie des autres membres du CBS:

Marjorie Picard, Jessie Raymond, Claudia Kishi, Sophie Ménard et Diane Dubreuil.

— Merci ! Je suis contente que vous soyez venues nous encourager. Bon, qu'est-ce que vous faites ce soir ?

Tout le monde semble avoir une garde. Anne-Marie et Marjorie s'occupent des jeunes Picard. Claudia garde Jonathan et Laurence Mainville. Diane va garder Suzon, Bruno et Marilou Barrette. Seules Sophie et Jessie sont libres. Moi ? Marc m'a invitée à aller manger un hamburger avec lui. Je ne sais pas si on peut appeler ça une « sortie », mais j'ai bien hâte. Surtout après notre victoire !

CHAPITRE 2

Avant d'aller plus loin, je devrais vous parler du Club et de ses membres. D'abord, le CBS est plus qu'un simple Club, c'est une entreprise. Une entreprise florissante. C'est moi qui en ai eu l'idée, et c'est la raison pour laquelle j'en suis la présidente. Tout a commencé le soir où j'ai vu ma mère essayer de trouver une gardienne disponible pour garder David. C'était avant son mariage avec Guillaume. Elle a bien dû passer un million de coups de téléphone, mais personne (ni moi) n'était libre. Je me suis dit que ce serait merveilleux si avec un seul numéro de téléphone, les parents pouvaient joindre tout un groupe de gardiennes.

Une idée simple, non ? Comme dit Guillaume, les idées les plus simples sont souvent les meilleures, et dès le début, le Club a remporté un vif succès. Au départ, nous avons fait de la publicité, mais à présent, nous avons de nombreux clients fidèles. Nous nous réunissons dans la chambre de Claudia Kishi, notre vice-présidente, trois fois par semaine : le lundi, le mercredi et le vendredi, de dix-sept heures trente à dix-huit heures. C'est à ce moment-là que les parents peuvent nous appeler. Notre secrétaire, Anne-Marie, tient l'agenda à jour de façon à savoir, au premier coup d'œil, qui d'entre nous est libre.

L'agenda est une autre de mes idées, tout comme le journal de bord, dans lequel nous notons nos commentaires sur chacune de nos gardes. Une fois par semaine, nous devons lire ce que les autres ont écrit. Et ainsi, nous sommes toutes au courant de ce qui peut survenir chez les familles où nous allons garder. Le journal de bord n'est pas une de mes inventions les plus populaires, car presque personne n'aime y écrire, mais tout le monde admet que c'est très utile. Personnellement, je crois que c'est l'une des raisons qui contribuent au succès de notre Club. Les parents apprécient les gardiennes qui se présentent avec une certaine connaissance de leurs enfants.

Ensuite, nous avons une petite « caisse » dans laquelle, tous les lundis, nous versons nos cotisations. C'est Sophie, notre trésorière, qui est chargée de les recueillir. Nous utilisons cet argent pour dédommager Charles (depuis que nous habitons à l'autre bout de la ville, il vient me reconduire aux réunions), pour des projets spéciaux et pour renouveler le matériel de nos trousses à surprises. Ces trousses sont des boîtes que nous apportons parfois avec nous quand nous allons garder. Nous les avons décorées et remplies de jouets et de jeux dont nous ne nous servons plus. Même s'ils ne sont pas neufs, les enfants les adorent parce que, pour eux, ils sont tout nouveaux. Hum! je suis gênée de vous révéler qui a eu l'idée des boîtes à surprises, car je crains une fois de plus de paraître prétentieuse, mais voici un indice: ses initiales sont C.T.

Maintenant que vous savez comment fonctionne le Club, laissez-moi vous présenter ses membres.

Anne-Marie Lapierre, qui, comme je l'ai déjà dit, est notre secrétaire, se trouve être aussi ma meilleure amie. D'aussi loin que je me souvienne, nous avons toujours été amies et je suis sûre que nous le resterons. Je nous imagine très bien, à quatre-vingt-cinq ans, moi toujours aussi bavarde, elle toujours aussi timide et sensible, nous berçant sur le perron en échangeant nos souvenirs du bon vieux temps. C'est étrange l'amitié, n'est-ce pas? À nous voir, Anne-Marie et moi, personne ne pourrait croire que nous sommes de si grandes amies, tellement nous sommes différentes l'une de l'autre. Anne-Marie ne donne jamais son opinion sans qu'on la lui demande ; moi, je n'attends pas d'y être invitée. Anne-Marie peut fondre en larmes pour un chiot égaré ; moi, je me souviens à peine de la dernière fois que j'ai pleuré. Anne-Marie sait toujours quoi dire pour vous remonter le moral, alors que, moi, c'est tout juste si je remarque que quelqu'un a le moral bas.

Cependant, physiquement, nous nous ressemblons. Anne-Marie a les cheveux et les yeux bruns, et elle est aussi petite que moi. Sauf que, côté vestimentaire, sa garde-robe est plus garnie que la mienne.

Anne-Marie est fille unique. Elle a été élevée par son père parce qu'elle a perdu sa mère étant bébé. Je suppose qu'à l'époque il n'y avait pas beaucoup de familles monoparentales dans la région et monsieur Lapierre a dû apprendre tout seul à s'occuper d'un enfant. Pendant très longtemps, je pense qu'il a essayé un peu trop fort, car il était très sévère avec sa fille. Il surveillait même sa manière de se coiffer (elle devait toujours porter des tresses) et de s'habiller (elle devait se contenter de vêtements de petite fille).

18

Mais finalement, depuis environ un an, il a commencé à lui laisser prendre des responsabilités. À présent, Anne-Marie choisit elle-même sa garde-robe et coiffe ses cheveux comme bon lui semble. D'ailleurs, elle vient de les faire couper court.

Anne-Marie a un chat nommé Tigrou et un petit ami, Louis Brunet. Et depuis peu, elle a aussi une plus grande famille ! Son père a revu son amie de cœur du temps du collège, il est retombé amoureux d'elle et l'a épousée. Anne-Marie s'est donc retrouvée avec une belle-mère, un demi frère et une demi-sœur. Le plus drôle, c'est que cette demi-sœur est Diane Dubreuil, une autre membre du CBS, et deuxième meilleure amie d'Anne-Marie.

Diane a grandi en Californie et n'a emménagé à Nouville qu'après le divorce de ses parents, lorsque sa mère a décidé de revenir dans sa ville natale. Le changement n'a pas été facile pour Diane, mais je pense que sa rencontre avec Anne-Marie lui a facilité les choses. Malheureusement, son petit frère Julien n'a pas réussi à s'adapter, et il est retourné vivre en Californie avec son père.

Diane est une fille plutôt détendue et je l'admire beaucoup. Elle a énormément d'assurance et n'hésite pas à dire ce qu'elle pense, mais elle ne parle pas à tort et à travers comme je le fais si souvent. Elle est jolie aussi, avec ses longs cheveux blonds, ses grands yeux bleus et cette façon de s'habiller qui allie confort et élégance. Elle respire la santé, ce qui est sans doute dû au fait qu'elle ne mange jamais de viande rouge et qu'elle est maniaque des aliments naturels.

Elle est aussi maniaque des fantômes. Quand il est question de spectres et d'empreintes de pas étranges, elle devient intarissable. Elle est convaincue que la vieille maison de ferme où elle vit est hantée. Elle a peut-être raison, parce qu'il y a un passage secret qui mène de sa chambre à la grange et qui pourrait bien être le lieu de rendez-vous de quelques revenants.

Dans le Club, Diane est membre suppléant, c'est-à-dire qu'elle peut remplacer l'une ou l'autre d'entre nous qui ne peut assister à une réunion.

Par exemple, si Sophie Ménard est absente, Diane peut assumer la tâche de trésorière. Il n'arrive pas souvent que Sophie rate une réunion, cependant; elle adore son poste parce qu'elle est très forte en mathématiques et qu'il n'y a rien qu'elle aime mieux que recueillir nos cotisations, compter notre petit trésor et accumuler l'argent. Il faut parfois la supplier à genoux pour lui arracher des sous à l'occasion d'une petite fête à la pizza.

Je trouve que Sophie ressemble à un mannequin de mode. Elle a des cheveux blonds et bouclés qui lui tombent aux épaules. Je pense
qu'elle les fait permanenter, mais je ne fais pas
très attention à ce genre de détails. Elle s'habille
aussi comme un mannequin et elle porte des
vêtements que je ne me vois même pas essayer.

Sophie a grandi à Toronto, ce qui explique
peut-être qu'elle soit toujours à la mode. Depuis
le divorce de ses parents, elle vit ici avec sa
mère, mais, très fréquemment, elle rend visite à
son père. Sophie est enfant unique et c'est sans
doute pour ça que la séparation de ses parents
l'affecte particulièrement. Elle se sent souvent
tiraillée entre les deux. Par exemple, il n'y a pas
longtemps, sa mère a eu une pneumonie et elle
avait le sentiment de devoir rester avec elle,
mais elle avait aussi promis à son père d'assister
à un événement très spécial avec lui. En essayant de plaire aux deux, elle finit par déplaire
à chacun. Ce n'est pas facile.

Une autre chose qui lui complique l'exis-
tence, c'est son diabète, une maladie qu'elle traî-
nera avec elle toute sa vie durant. Son corps
n'assimile pas bien les sucres. Elle doit faire très
attention à ce qu'elle mange (pas de sucreries) et
doit se faire des injections quotidiennes d'insu-
line (que son organisme ne produit pas comme il

le devrait). Si j'avais le diabète, je m'en plaindrais à qui voudrait bien m'entendre, mais Sophie, elle, n'en parle pas. Elle vit avec.

Tout ça ne fait pas de Sophie une pauvre fille malchanceuse. Elle est très sociable et elle ne rate jamais une occasion de s'amuser. Elle est folle des garçons et du magasinage, et c'est une gardienne hors pair.

Ces trois dernières caractéristiques vont aussi comme un gant à sa meilleure amie : Claudia Kishi. Claudia est d'origine japonaise et elle est très belle. Elle a de longs cheveux noirs, de beaux yeux en amande et un teint splendide. Tout comme Sophie, elle adore s'habiller. Mais tandis que Sophie choisit des vêtements dernier cri, Claudia les préfère… disons, créatifs. Claudia est une artiste extraordinaire et elle applique ses idées à sa façon de se vêtir. Elle peut porter un foulard de soie peint avec une salopette à pois. Ou deux boucles d'oreilles en forme de beigne avec une troisième en forme de tasse à café. (Elle a deux trous à une oreille et un seul à l'autre.)

En tant que vice-présidente, Claudia n'a pas grand-chose à faire. Son titre, elle le doit surtout au fait que c'est sa chambre qui nous sert de quartier général et que nous utilisons sa ligne téléphonique (elle en a une juste à elle). Sans ça, le Club n'existerait pas ; nous ne pourrions pas monopoliser la ligne de quelqu'un d'autre comme nous le faisons avec la sienne. Cependant, Claudia a une fonction officielle : répondre aux appels en dehors des heures de réunion, et aussi une fonction officieuse : nous gaver de friandises lors des réunions.

Elle assume cette dernière tâche avec beaucoup de cœur puisqu'elle est pour ainsi dire la *Miss Friandise de Nouville*. Claudia n'est peut-être pas très douée pour mémoriser ses leçons, mais elle connaît les variétés de croustilles et de bonbons sur le bout de ses doigts. Elle les adore et en a toujours un stock impressionnant dans sa chambre.

Néanmoins, en entrant, on n'en voit pas trace. Elle doit les cacher parce que ses parents n'apprécient pas ses goûts « gastronomiques ». Ils n'approuvent pas non plus ses choix de lecture (elle dévore les romans policiers et ils préféreraient la voir lire des livres plus sérieux). Alors, il n'est pas rare de trouver des tablettes de chocolat sous une pile de chaussettes, à côté d'un bon roman d'Agatha Christie.

Le Club compte aussi deux membres juniors : Marjorie et Jessie, qui n'ont que onze ans et qui sont en sixième année. Ce sont d'excellentes gardiennes, mais elles n'ont pas la permission de garder le soir (sauf chez elles). C'est pourquoi elles prennent beaucoup de gardes l'après-midi.

Je vois très bien ces deux-là être encore amies à quatre-vingt-cinq ans, tout comme Anne-Marie et moi. Marjorie se bercerait sur le balcon, écrivant son journal. (Elle veut devenir auteure et illustratrice de livres pour enfants, et elle écrit tout le temps.) Et Jessie se tiendrait debout à côté d'elle, une jambe posée sur le garde-fou, faisant, malgré son grand âge, des exercices d'assouplissement. (Elle souhaite devenir ballerine et fait continuellement des étirements et des pointes.)

Marjorie a des cheveux roux bouclés, elle porte des lunettes et un appareil orthodontique qui semblent lui empoisonner la vie. Elle aimerait bien avoir des verres de contact, mais ses parents la trouvent encore trop jeune. Heureusement, son appareil orthodontique est du genre transparent et on ne le voit pas beaucoup. Marjorie a une immense famille : sept jeunes frères et sœurs ! (Vous connaissez déjà Nicolas, qui fait partie des Cogneurs, et Vanessa, qui encourage l'équipe.)

La famille de Jessie est plus modeste. Elle a une petite sœur et un petit frère. Leur tante vit chez eux, pour aider. Jessie est Noire et elle a de magnifiques jambes très élancées. Je suis très contente que Marjorie et elle fassent partie du Club.

Enfin, le CBS compte aussi deux membres associés : Chantal Chrétien, qui habite près de chez moi, et Louis Brunet, le petit ami d'Anne-Marie. Généralement, ils n'assistent pas aux réunions, mais ils peuvent nous aider quand nous sommes débordées.

Et voilà ! Maintenant que vous savez tout de notre Club, je peux finir de vous raconter ce qui s'est passé après la partie ce jour-là. Ce jour « fatidique », comme dirait Marjorie si elle écrivait une de ses histoires.

CHAPITRE 3

Sur le terrain, la pluie devient de plus en plus forte et les nuages de plus en plus noirs. L'air est lourd et le ciel prend une curieuse teinte verdâtre. Mes amies m'envoient la main et courent aux autos de leurs parents. Nicolas Picard me tire par le bras.

— Christine, je retourne avec mes parents, d'accord?

— C'est parfait, Nicolas. Tu trouvais la fourgonnette un peu trop bondée, hein?

Il fait signe que oui.

— Tu as ton gant? Parfait. À bientôt. Bravo pour cette belle partie!

Nous nous saluons, et il court rejoindre ses parents.

Bientôt, il ne reste plus sur le terrain que Marc, Charles, moi et le reste des Cogneurs (dont font exceptionnellement partie, aujourd'hui, les Matamores).

— Bon, dépêchons-nous de charger le matériel, dis-je. D'une minute à l'autre, il va tomber des cordes.

Charles va chercher la fourgonnette, et Marc et moi commençons à rassembler l'équipement. Les enfants courent autour de nous, en faisant semblant de nous aider, mais ils jouent plutôt. Karen essaie d'attraper des gouttes avec sa langue. David, Bruno et Julien font des glissades sur le gazon mouillé. Jérôme s'exerce à frapper une balle invisible et Christian, Patricia et Joseph s'amusent à sautiller comme des petits singes.

Marc et moi, nous nous regardons, haussons les épaules et commençons à charger la fourgonnette.

— Bon ! dis-je lorsque nous avons terminé. On y va !

Personne ne m'écoute. La pluie tombe plus dru. Marc place ses mains en porte-voix et lance :

— Le dernier dans la fourgonnette est un œuf pourri !

C'est la formule magique. Les enfants se précipitent dans la voiture en se bousculant. Marc et moi montons en dernier et dès que nous avons compté nos joueurs, Charles démarre.

Au moment où nous atteignons le rond-point de Saint-Antonin, la tempête se déchaîne. Un éclair zèbre le ciel et un énorme coup de tonnerre nous arrache les tympans. Les nuages crèvent et le rideau de pluie réduit passablement la visibilité. Charles avance, puis ralentit, surveillant les panneaux indicateurs.

Derrière, Patricia fond en larmes.

— J'ai peur du tonnerre ! gémit-elle.

Je tends ma main vers elle pour la rassurer.

— Tout va bien, dis-je. Dans la voiture, on est en sécurité et au sec.

J'essaie de prendre un ton apaisant, mais ce n'est pas facile. Il se trouve que je suis moi-même un peu effrayée par le tonnerre. Par les éclairs, plutôt. Je sais bien que le tonnerre est inoffensif. Mais pas la foudre. C'est une vieille peur que je cache soigneusement. Tout le monde pense que je n'ai peur de rien, mais en vérité, je ne me sens jamais vraiment à l'aise sous un orage. Mais parce que je crains la foudre, j'ai beaucoup lu sur le sujet. Je sais comment rester à l'abri (jamais sous un arbre, par exemple, puisque la foudre est attirée par le plus haut point d'un lieu), et un des endroits les plus sûrs, c'est la voiture (à cause des pneus en caoutchouc, je crois). Alors, quand j'assure à Patricia que nous sommes en sécurité, je n'ai pas l'impression de lui mentir.

La pluie redouble d'ardeur et le tonnerre

gronde sans cesse. Juste devant nous, un éclair déchire les nuages et je pousse un petit cri. Certains enfants commencent à pleurnicher, et je sens la main de Karen se glisser dans la mienne. Je me tourne vers Marc.

— Tout un orage, hein ? lui dis-je en essayant de prendre un air détaché.

Il approuve de la tête, mais il a l'air ailleurs. Il regarde devant, dans le pare-brise.

— Charles, dit-il soudain, on n'était pas censés tourner à droite à ce feu ?

— Je ne crois pas, répond mon frère. On doit tourner après une grosse clôture couverte de vigne, non ? Je ne l'ai pas encore vue.

— Je l'ai vue, moi, dit Jérôme, assis à côté de Charles. On l'a passée.

— Tu es sûr ? demande Charles.

— Oui.

— Bon, alors je vais faire deux kilomètres de plus et on verra. Il y a peut-être un autre chemin que nous pouvons prendre.

Nous avons laissé Saint-Antonin derrière nous et roulons sur une route bordée de quelques rares maisons. De gros arbres courbent leurs branches au-dessus de nous. Nous avançons très lentement, parce que Charles ne voit pratiquement rien. Les essuie-glaces ne parviennent pas à balayer l'eau sur le pare-brise. Mon frère est penché sur le volant, le visage collé à la vitre.

— Je pense qu'on peut tourner ici, dit-il.

Il a l'air tendu, comme avant une de ses parties de football.

Tout le monde est silencieux. On entend seulement les reniflements de Patricia et quelques murmures, quand un éclair illumine le ciel. Vite, il faut distraire les enfants !

— Si on chantait ? dis-je en essayant de prendre un ton enthousiaste.

Je commence à chanter, mais personne ne me suit. Ils ont tous l'air transis de peur.

— Vous n'aimez pas ma chanson ? Jérôme, chante-nous quelque chose, veux-tu ?

— Je ne sais pas, répond Jérôme doucement, le regard rivé à la fenêtre.

J'abandonne et décide de me la fermer.

— Hé ! Charles ! dit Marc. On devrait peut-être retourner au magasin général que nous avons vu tantôt. Ils pourront sûrement nous indiquer le chemin.

— Bonne idée, répond Charles en ralentissant pour faire demi-tour. C'est loin d'ici ?

— Pas trop, je crois, fait Marc. C'était tout près d'une grosse ferme.

Maintenant, nous sommes vraiment en pleine campagne. La route est bordée d'une forêt dense et nous n'avons pas croisé de voitures depuis déjà un bon moment. Je n'ai pas vu beaucoup de maisons, non plus. La pluie a diminué un peu et nous voyons enfin à travers les vitres.

— Tourne à droite ici ! s'écrie Marc. Je suis presque certain que le magasin était sur cette route.

— D'accord, dit Charles. Mais je ne me souviens pas de…

La suite de sa phrase se perd dans le fracas du tonnerre. Karen plaque ses mains sur ses oreilles, et Patricia pousse une plainte. Charles continue à rouler.

Nous traversons un petit pont que je ne me rappelle pas avoir aperçu tout à l'heure, et nous regardons le torrent qui coule dessous. L'eau, furieuse, pleine de remous et d'écume, atteint le sommet des berges. Deux grosses branches sont emportées par le courant impétueux.

— Oh ! fait Christian, c'est terrible !

— Oubliez la rivière, dit Jérôme. Regardez plutôt cette maison, là-bas.

— Ooooh ! s'exclament trois ou quatre des enfants.

Je jette un œil à la fenêtre. Sur une colline devant nous s'élève une imposante demeure en brique. Un long chemin sinueux y conduit, entre des arbres de haute taille. Il n'y a pas de fleurs dans le jardin, pas de corde à linge, rien. Je crois voir quelques lueurs dans la maison, mais elle a l'air abandonnée. Je sens un frisson me parcourir le dos. Cet endroit a quelque chose de lugubre.

— Oh! oh! fait Charles, interrompant mes pensées.

La fourgonnette s'est immobilisée.

— Qu'est-ce qu'on va faire? ajoute mon frère.

Je regarde par le pare-brise et je comprends alors sa question. Devant nous, il y a un autre pont sous lequel coule un autre torrent. Mais celui-ci est déchaîné et le pont risque d'être emporté à tout moment.

— Recule, dit Marc. Vite! Retourne au premier pont.

Mais devinez ce que nous trouvons là-bas! Rien. Il n'y a plus de pont! Nous regardons en silence les quelques pieux encore debout. Il ne nous faut pas beaucoup de temps pour comprendre que nous sommes pris au piège. J'essaie de ne pas paniquer.

— Bon, bon, bon, dis-je. On ne peut pas aller plus loin. La seule chose qui nous reste à faire, c'est de frapper à une porte et de demander la permission de téléphoner... et peut-être même de passer la nuit.

— À la maison hantée? glapit Jérôme.

— Quelle maison hantée?

— Celle en brique qui a l'air abandonnée. C'est la seule dans le coin.

— Je suis sûre qu'elle n'est pas hantée, dis-je, même si je la trouve moi-même plutôt sinistre. De toute façon, on n'a pas le choix.

Charles a déjà fait demi-tour et, quelques instants plus tard, nous montons l'étroit chemin qui serpente jusqu'à la grande demeure.

— Il me semble qu'il y avait de la lumière, tout à l'heure, fait observer Marc comme nous approchons de la maison.

— Tu as raison, Marc, dis-je. C'est quand même curieux qu'elle soit tout à coup plongée dans le noir. Hé! regardez! Il y a une petite maison là-bas. Si on allait frapper là, plutôt?

La vue de cette maisonnette nichée dans la pinède me rassure. Elle a l'air beaucoup plus invitante que l'autre, même si elle n'est pas plus éclairée.

— C'est peut-être la maison du gardien, dit Charles en détachant sa ceinture de sécurité. Tu viens, Christine? Allons voir s'il y a quelqu'un.

Je suis mon frère jusqu'à la petite maison. Il frappe à la porte. Je commence à être trempée, mais je me dis que bientôt nous serons au chaud et au sec. Le propriétaire nous offrira peut-être même une boisson chaude?

La porte s'ouvre enfin.

CHAPITRE 4

L'homme qui nous dévisage est grand et mince, un peu voûté, et il a des cheveux gris en broussaille. Il fait assez clair pour que je puisse voir que ses joues sont creuses et que ses yeux semblent éteints. Le plus curieux, c'est qu'il reste là, à nous regarder, sans dire un mot.

Je ne dis rien, moi non plus. Je n'en ai pas le courage.

Heureusement, Charles se ressaisit.

— Bonjour, monsieur, dit-il. On était en train de rouler sur la route et on s'est retrouvés pris entre les deux ponts qui ont été emportés par la rivière.

Moi, à la place de l'homme, j'aurais sans doute dit : « Oh ! mais c'est épouvantable ! Entrez donc vous réchauffer. » Mais lui, il se tait. Il continue à nous fixer. Je sens les poils de ma nuque me chatouiller.

— Pourrions-nous utiliser votre téléphone? demande poliment Charles.

— Pas de téléphone ici, répond l'homme. Ni à la grande maison. Et il n'y a plus d'électricité.

Tiens! il est capable de parler! Il n'est pas très avenant, mais au moins il a dit quelque chose. Mais… pas de téléphone! Nous sommes coincés ici, pour la nuit probablement, et nous ne pouvons pas joindre nos familles. J'en ai l'estomac tout retourné. C'est gai!

— Y a-t-il un téléphone pas loin d'ici? demande Charles. On pourrait marcher jusque-là.

— Si les ponts ont été emportés, c'est impossible, répond l'homme sèchement.

Charles me regarde et grimace. Je comprends ce qu'il ressent. Nous sommes dans le pétrin jusqu'au cou et ce n'est pas ce vieil homme bizarre qui va nous en sortir.

Mais, à notre grande surprise, il ajoute:

— Vous pouvez vous abriter dans la grande maison. Je vous hébergerais bien, mais je vois que vous avez un tas d'enfants avec vous et je n'ai pas assez de place ici.

Il indique la fourgonnette du menton. Je me retourne et j'aperçois huit petits visages, en plus de celui de Marc, qui nous observent.

Le vieil homme n'est peut-être pas si grincheux que ça, après tout.

— C'est très gentil de votre part, dis-je. Cette maison vous appartient?

Je ne veux pas paraître fouineuse, mais je suis curieuse de savoir comment il se fait qu'il peut nous la proposer.

— C'est moi qui m'en occupe, explique-t-il. Il y a des années que personne n'y habite. Je l'entretiens depuis… bien avant que vous ne soyez au monde.

Il me dévisage et, au même instant, le ciel s'illumine et le tonnerre éclate. J'aperçois les yeux gris et durs de l'homme qui me fixent et un frisson me parcourt l'échine.

— Je m'appelle Christine Thomas, dis-je. Et voici mon frère Charles. Nous vous sommes très reconnaissants.

(Je me dis que la seule façon de dominer ma nervosité est d'agir avec assurance, et ça semble fonctionner.)

— Je vais vous donner des couvertures et des vivres, dit l'homme.

Et il disparaît subitement, nous laissant seuls sur le perron. Nous nous regardons en haussant les sourcils. Puis je me tourne vers la fourgonnette et je lève le pouce en direction de Marc pour lui signifier que tout va bien. Je pointe aussi la grosse maison, et je pose ma joue contre mes mains jointes pour lui indiquer que nous dormirons là, cette nuit. Il semble d'abord confus, mais il finit par comprendre et annonce la nouvelle aux enfants.

— Voici, dit l'homme en réapparaissant soudainement, les bras chargés de couvertures. Vous en aurez besoin s'il fait froid. Il y a aussi deux lampes de poche et un fanal.

Il tend le paquet à Charles et disparaît une fois de plus. Charles emporte le matériel à la fourgonnette en courant sous la pluie, mais je reste à la porte jusqu'à ce que l'homme revienne.

— Je n'ai pas grand-chose à manger ici, dit-il, mais voici quelques provisions.

Il me tend un grand sac en papier et je regarde à l'intérieur. Il contient une cruche d'eau, du pain et quelques pommes.

— Merci beaucoup, dis-je.

Mon estomac gargouille et je me rends soudain compte que j'ai très faim. Je pense au hamburger que je devais déguster avec Marc. Il aurait été chaud et juteux, couvert de fromage, de cornichons et de ketchup. Je salive. Je regarde les pommes en songeant que c'est mieux que rien.

Charles revient me trouver, tout dégoulinant de pluie.

— Je crois qu'on est prêts, dit-il. On apprécie grandement votre aide, monsieur.

37

— Encore une petite chose, fait l'homme en s'avançant et tendant un trousseau de clés à Charles. Vous aurez besoin de ceci pour entrer.

Puis, il disparaît dans la maison et referme la porte en marmottant : « À demain… si Dieu le veut. »

Je me tourne vers Charles.

— Qu'est-ce qu'il a voulu dire ?

— Rien, répond mon frère. C'est seulement une expression que certaines gens emploient.

Il fronce les sourcils et s'empare du sac.

— Allons-y, dit-il d'un ton impatient.

Je le suis à la fourgonnette, essayant d'oublier les paroles de l'homme.

Nous grimpons dans la voiture et tandis que Charles prend l'allée vers la grande maison sous les trombes d'eau, je raconte à Marc et aux enfants ce qui s'est passé. Je ne mentionne pas que l'homme avait l'air étrange, cependant. Inutile d'effrayer qui que ce soit. De toute façon, il a été très gentil, même s'il n'est pas des plus accueillants. Pourquoi devrait-il l'être ? D'ailleurs, nous ne sommes pas rendus au bout de nos peines.

— Mes parents vont être vraiment très très inquiets, dit Julien. On ne peut pas les appeler ?

— J'aimerais bien, réponds-je. Mais c'est impossible. On partira d'ici demain matin, mais pour l'instant nous sommes coincés.

J'entends des reniflements en arrière. S'il y a une chose dont nous n'avons vraiment pas besoin, c'est que les enfants s'inquiètent et prennent peur. J'essaie de paraître enjouée.

— On va s'amuser ! Ça va être comme une soirée-pyjama !

— Mais j'ai même pas de pyjama ! pleurniche Karen. Je veux mon pyjama de la petite sirène !

— Vous savez quoi ? fait Marc. On va dormir avec nos vêtements. Super, non ?

— Ouiii ! crient la plupart des enfants.

Je lance un regard plein de gratitude à Marc.

— Bon, nous voici chez nous, dit Charles en se garant devant une énorme porte en bois. Je pense que c'est le jour de congé du maître d'hôtel, alors nous devons nous débrouiller seuls. On y va, m'sieu dames ?

Mon frère a pris un drôle d'accent pointu et je souris en regardant les enfants sauter à terre. Tout va peut-être bien se passer, finalement.

Nous nous dépêchons de rejoindre Charles, qui est déjà en train d'insérer la clé dans la serrure. Aussitôt, la lourde porte s'ouvre sur un immense hall. Certains enfants se précipitent à l'intérieur.

— Stop ! dis-je. Il faut d'abord transporter nos choses. Et je veux que vous restiez tous groupés jusqu'à ce que nous ayons inspecté les lieux.

Nous déposons, dans le hall, le matériel que nous a prêté le gardien. Heureusement, malgré l'obscurité, il fait suffisamment clair pour voir sans lampe de poche.

Nous rassemblons les enfants et explorons le rez-de-chaussée.

— Oh! fait Charles en pénétrant dans le salon. Avez-vous vu ces tableaux? Ils valent sûrement une fortune!

Je suis trop occupée à essayer les confortables canapés autour de l'immense cheminée. Pourrons-nous dormir dessus sans ruiner l'étoffe de belle qualité qui les recouvre?

La pièce voisine est une salle à manger. La table est deux fois plus grande que celle que l'on trouve chez moi. Les sièges de chacune des vingt chaises (je les ai comptées) sont en tissu de soie et un élégant bol en argent est posé au centre de la table brillante de propreté.

— Je parie que la cuisine est par là, dit Joseph.

Il a raison. La pièce à côté est une grande et belle cuisine. Je cours chercher les vivres. Quand je reviens, les enfants sont en train d'admirer le gigantesque poêle en fonte placé dans un coin.

— Ils s'en servaient pour brûler du bois, m'informe Jérôme. C'est Marc qui nous l'a dit.

Et ils y faisaient la cuisine.

— Il y a aussi une cuisinière à gaz, si on veut faire bouillir de l'eau, dit Charles.

Soudain, je m'aperçois qu'il manque quelqu'un.

— Où est David ?

Personne ne répond.

Juste comme j'allais m'énerver, j'entends la voix de David qui appelle :

— Venez voir ! Venez voir !

Nous le retrouvons dans une pièce extraordinaire : du plancher au plafond, les murs sont couverts d'étagères pleines de livres, de somptueux tapis garnissent le sol, des fauteuils en cuir sont posés ici et là, et au fond trône une grande table de billard.

— Oh ! dis-je à mi-voix en admirant la douce surface verte de la table.

Juste au-dessus est suspendu un lustre fait de milliers de gouttes en cristal qui semblent tomber en cascade. Ce manoir est encore plus beau que celui de Guillaume.

— Toute une cabane ! blague Marc avec un sourire.

— Je trouve qu'il y a quelque chose de bizarre dans tout ça, dit Charles. Sentez-vous quelque chose ?

Je renifle.

— Rien.

— Ça sent le cuir, dit Karen, le nez en l'air.

— Ce que je veux dire, c'est qu'il n'y a aucune odeur de renfermé, explique Charles. Et pas un grain de poussière. Cette maison est très bien entretenue, bien que personne n'y vive.

— Le gardien est consciencieux, dis-je pour dissimuler le fait que les paroles de Charles m'ont donné le frisson. Bon ! on devrait manger, à présent, ajouté-je pour changer de sujet. J'ai vraiment faim.

Karen s'est approchée d'une fenêtre et regarde les branches d'arbres ballottées par le vent. La tempête semble ne pas vouloir s'arrêter. Je vais la rejoindre et je passe mon bras autour de ses épaules.

— Tu viens ? dis-je, percevant son inquiétude.

— Oui, répond-elle, la lèvre tremblante. On est vraiment coincés ici, hein ?

Je la serre contre moi pour la réconforter. J'ai bien peur que la nuit ne soit longue…

CHAPITRE 5

Samedi

Garder les Picard devrait
être suffisant pour me faire
oublier tous mes soucis, et pourtant, ce n'est pas ce qui s'est
produit ce soir. Évidemment,
les enfants nous ont tenues
occupées, Marjorie et moi,
mais ça ne m'empêchait pas
d'être bourrée d'inquiétude...

Anne-Marie et Diane reviennent de Saint-Antonin plus tard que prévu. Elles sont rentrées avec les Picard, et à cause de la pluie, le trajet a été long. En plus, il leur a fallu arrêter au supermarché parce que madame Picard avait besoin de lait. Quand elle les dépose chez elles, elle rappelle à Anne-Marie qu'elle doit garder ses enfants le soir même.

— Je suis chez vous dans une demi-heure, promet Anne-Marie. Il faut juste que je me change.

Anne-Marie et Diane courent se mettre à l'abri sous le balcon. Pendant quelques minutes, elles regardent la pluie tomber.

— Je n'ai jamais vu de tempête pareille, dit Diane.

Le ciel s'illumine et le tonnerre gronde.

— Moi non plus, répond Anne-Marie. C'est un véritable déluge.

Diane tord ses longs cheveux trempés.

— Je vais prendre une bonne douche avant d'aller chez les Barrette, dit-elle.

— Je te rejoins dans un instant, fait Anne-Marie.

Elle continue à regarder le terrain imbibé. Il y a de grosses flaques partout et les arbres sont agités en tous sens par le vent. Alourdies par l'eau, la plupart des fleurs sont couchées au sol.

Et la pluie continue. On a l'impression qu'elle ne cessera jamais.

Enfin, Anne-Marie se décide à entrer. La maison est silencieuse puisque son père et la mère de Diane sont sortis. Elle monte à sa chambre, retire ses vêtements mouillés et se sèche les cheveux. Après avoir enfilé un jean propre et un t-shirt, elle se sent tout de suite à l'aise et bien au chaud. Elle jette un œil à sa montre. Il est presque temps de partir chez les Picard.

Elle redescend et fouille dans le placard à la recherche du grand parapluie de son père et de son imperméable à capuchon. Comme elle va prendre ses bottes, le téléphone sonne.

— Je réponds! fait Diane qui vient de descendre, une serviette enroulée autour de la tête.

Elle répond et discute quelques minutes. Puis Anne-Marie l'entend dire: «Juste un moment, je vais demander à Anne-Marie.» Elle pénètre dans l'entrée avec un drôle d'air.

— Qu'est-ce qui se passe? demande Anne-Marie.

— C'est Guillaume Marchand. Il dit que Christine et les autres ne sont pas encore rentrés. Il les attendait il y a une heure et ils n'ont pas appelé.

— Bizarre.

— Oui. Guillaume a l'air plutôt inquiet.

— Oh! je suis sûre qu'il n'y aucune raison de s'inquiéter! Ils ont dû être ralentis par la pluie. Peut-être que Charles a décidé de s'arrêter pour attendre que l'orage passe.

— Tu dois avoir raison, fait Diane, un peu plus rassurée. Je vais le dire à Guillaume.

Anne-Marie met son imperméable et ses bottes, puis elle se regarde dans le miroir et éclate de rire. «Heureusement que Louis ne me voit pas», songe-t-elle.

— Salut, Diane! Amuse-toi bien chez les Barrette!

Elle sort et ouvre le parapluie. Il pleut toujours fort, mais à présent, elle est bien équipée pour affronter les éléments. Elle marche rapidement jusque chez les Picard, évitant les flaques et sautant par-dessus les ruisseaux qui dévalent la rue.

Quelques instants plus tard, elle est sur le balcon des Picard, et secoue son parapluie. Puis elle frappe. Elle entend quelqu'un venir et la porte s'ouvre brusquement. Les triplets (qui ont dix ans) sont devant elles, le sourire aux lèvres.

— Olla, ej sius Leoj, dit Joël.

— Olla, ej sius Eniotna, dit Antoine.

— Ej sius Dranreb, dit Bernard.

Anne-Marie les regarde, ébahie.

— Pardon?

Ils répètent, mais cette fois, tous en même temps. Anne-Marie secoue la tête et leur sourit.

— Je ne comprends rien, mais je suis quand même contente de vous voir.

— Salut, Anne-Marie! dit Marjorie en arrivant dans l'entrée. Ne t'occupe pas d'eux, ils parlent à l'envers. Ça fait des heures qu'ils font ça.

— Oooh! fait Anne-Marie, comprenant enfin.

Les triplets s'en vont en courant, criant : « Tulas! »

— Ils sont un peu difficiles à comprendre, dit Anne-Marie à Marjorie.

— Oui. Mais ça les tient occupés et ça fait bien mon affaire. Entre. Mes parents sont déjà partis. On traîne un peu avant le souper.

Le reste de la bande Picard est dans la salle de jeu. Vanessa, assise sur un canapé, tient un carnet de notes sur ses genoux.

— Salut, Anne-Marie! dit-elle. Devine ce que je fais.

— Tu écris? demande Anne-Marie, qui sait que Vanessa veut devenir poétesse.

— Oui, répond Vanessa. J'écris des nouvelles chansons d'encouragement pour les Cogneurs. Ils vont jouer très souvent cette année, semble-t-il, alors je me suis dit qu'ils méritaient des refrains bien à eux. Tu veux en entendre un?

— Bien sûr.

— Cogneurs, Cogneurs, au jeu ! hurle Vanessa. Frappez la balle, juste au milieu !

Son visage s'illumine.

— Très joli, dit Anne-Marie.

— Anne-Marie ! Anne-Marie ! lance Claire au moment où Vanessa va entonner un autre chant. Tu veux tourner la roulette pour nous ? On veut jouer au *Twister.*

Claire, Margot et Nicolas regardent Anne-Marie d'un petit air plein d'espoir. (Vous vous souvenez de Nicolas ? Il fait partie des Cogneurs — c'est celui qui est rentré avec ses parents plutôt que de revenir avec nous dans la fourgonnette.) Ils ont déjà étalé le jeu par terre.

— Avec plaisir, répond Anne-Marie.

— Pendant ce temps-là, je vais préparer le souper, dit Marjorie.

Anne-Marie supervise la partie des enfants.

— C'est moi qui commence, lance Claire, parce que la dernière fois, c'était Margot.

Anne-Marie, voyant venir la crise, décide de prendre les devants.

— Je pense à un chiffre entre un et dix, dit-elle. Celui qui tombe sur le chiffre le plus proche sera le premier à commencer.

Par chance, Claire choisit le quatre, le chiffre auquel pensait justement Anne-Marie. Nicolas prend le cinq et Margot, le neuf. Nicolas sera donc le deuxième.

— Bon, es-tu prête, Claire? demande Anne-Marie en tournant la flèche de la roulette. Pied gauche, rouge, annonce-t-elle.

Claire pose son pied droit sur un cercle rouge.

— Mais non, imbécile! dit Nicolas. Ton pied gauche.

— Ta sœur n'est pas une imbécile, rétorque Anne-Marie. Et voici une nouvelle règle du jeu: tous les participants doivent être polis et gentils entre eux. (Anne-Marie ne peut pas supporter les moqueries et les insultes.) Claire, essaie l'autre pied.

Bientôt, Claire, Margot et Nicolas sont tous entrelacés sur le tapis du jeu, et rigolent comme des fous. Anne-Marie entend le téléphone sonner, mais elle se dit que Marjorie va répondre et elle continue à tourner la flèche. Quelques instants plus tard, Marjorie apparaît.

— C'était Diane. Elle appelait de chez toi parce que les Barrette ont annulé leur sortie.

Anne-Marie regarde son amie et voit que Marjorie essaie de lui dire quelque chose sans que les enfants entendent.

— Tu veux dire… commence Anne-Marie.

Elle comprend que Bruno Barrette n'est pas encore rentré, ce qui signifie que Marc, Charles, moi et les autres enfants ne le sommes pas non plus.

— Oui, dit Marjorie. Diane m'a parlé de l'appel de Guillaume. Il a rappelé deux fois depuis.

— Et toujours pas de nouvelles ?

Marjorie secoue la tête.

— Aucune.

— Hum…

— Anne-Marie ! fait Margot. Tourne !

Anne-Marie tourne la flèche.

— Nicolas, dit-elle. Main droite, jaune.

— C'est mon tour, pas celui de Nicolas, réplique Claire.

— Oh ! parfait ! dit Anne-Marie. Alors fais ce que j'ai dit.

Elle est préoccupée, mais elle essaie de ne pas le montrer.

Joël entre dans la pièce.

— Iaj miaf, dit-il.

— Pardon ? demande Anne-Marie.

Antoine et Bernard le suivent.

— No tuev repuos, dit Antoine.

Marjorie traduit.

— Vous avez faim et vous voulez souper ?

— Iuo, répond Bernard.

Les triplets s'écroulent de rire, imités par Claire, Nicolas et Margot. La sonnerie du téléphone retentit de nouveau. Marjorie court répondre pendant qu'Anne-Marie aide les petits à ranger le jeu.

— Allez vous laver les mains, dit-elle. On soupe après.

Elle entre dans la cuisine comme Marjorie raccroche.

— C'était Claudia. Elle part garder les Mainville, mais elle voulait nous dire que le père de Marc vient juste d'appeler.

— Il a des nouvelles?

Marjorie secoue la tête.

— Non. Il espérait que Claudia en ait.

— Oh non!

Anne-Marie est vraiment inquiète, et c'est dans cet état d'esprit qu'elle passe le reste de la soirée. Le téléphone ne dérougit pas pendant tout le souper. À la fin, il est devenu clair que les Cogneurs et moi avons eu un pépin. Guillaume a averti la police. Les parents des enfants s'appellent les uns les autres. Tous attendent des nouvelles. Mais aucune ne vient. Et la pluie continue de plus belle.

CHAPITRE 6

Christine?

Je me retourne pour voir qui me tire par la manche. C'est Jérôme. Nous sommes tous dans la cuisine et Marc est en train de diviser les victuailles que le vieux monsieur nous a données. Nous avons décidé d'en garder la moitié pour demain matin, même si ça signifie que nous risquons d'avoir faim cette nuit.

— Qu'y a-t-il, Jérôme?

— Ma mère va être vraiment inquiète, hein?

J'ai l'impression qu'il est sur le point de fondre en larmes.

Je ne sais pas quoi répondre. Il a raison. Nos parents vont se faire un sang d'encre, et nous n'y pouvons rien.

Charles se mêle à la conversation.

— Écoute, Jérôme. Venez tous ici, les enfants.

Les enfants se rassemblent autour de Charles. La plupart ont l'air effrayés. J'entends des reniflements et je vois Karen passer sa manche sur ses yeux.

— C'est vrai que vos parents vont s'inquiéter, dit Charles, mais ils vont se téléphoner et quand ils comprendront qu'aucun de nous n'est rentré, ils sauront que nous sommes toujours tous ensemble. Ça les rassurera beaucoup, surtout qu'ils savent que vous êtes avec Christine et Marc.

Marc et moi échangeons un sourire.

— Demain matin, on pensera à une façon de partir d'ici et vous serez chez vous en un rien de temps ! poursuit Charles.

— Est-ce que ma mère va me faire un gâteau ? demande Julien.

— Je parie que oui, répond Charles. Je parie qu'elle va te faire ce que tu voudras.

Julien sourit, imité par la plupart des enfants. Charles avait l'air plutôt convaincant. Puis il ajoute quelque chose qui contente tout le monde :

— Et si on mangeait ? Après ça, on pourra explorer le reste de la maison. D'ailleurs, c'est presque l'heure de se coucher. On ne peut pas regarder la télé ou aller faire une promenade, alors qu'est-ce qu'on pourrait faire d'autre ?

Tout en parlant, Charles nous regarde, Marc

et moi, pour s'assurer que nous sommes d'accord avec lui. J'approuve de la tête.

Charles est vraiment fantastique. Il a été prudent en voiture, il nous a trouvé un gîte et, à présent, il s'occupe des enfants. Je lui en suis très reconnaissante. D'ordinaire, j'aime prendre les choses en main, mais aujourd'hui je suis contente d'avoir quelqu'un sur qui m'appuyer. Après tout, il n'y a pas que les petits qui sont inquiets !

Nous faisons asseoir les enfants autour de la grande table et donnons à chacun quelques tranches de pomme et un gros morceau de pain. Marc, Charles et moi prenons une tranche de pomme et un plus petit morceau de pain. Pendant quelques minutes, personne ne parle.

Puis Bruno, qui a engouffré sa collation rapidement, brise le silence :

— Hé ! qu'est-ce que c'est ? s'écrie-t-il en pointant du doigt une rangée de clochettes montées sur une planche de bois, près de la porte de la cuisine.

Je me lève pour mieux voir. À côté de chaque clochette, il y a une étiquette. Je lis :

— Salon. Bibliothèque. Chambre bleue. Petit salon.

— Ça doit être pour les domestiques, dit Charles. Si la cloche du petit salon sonne, ils savent que la personne qui s'y trouve a besoin de quelque chose.

— Super ! s'exclament Joseph et Julien.

— Alors, si je suis en train de jouer au billard dans la bibliothèque et que je veux une tartine de beurre d'arachide, j'ai juste à faire sonner la cloche et quelqu'un viendra me l'apporter ? demande Jérôme.

— C'est un peu ça, dit Charles en souriant. C'est vraiment une maison surprenante. (Il met sa dernière bouchée de pain dans sa bouche.) Au moins, il n'y a pas de vaisselle à laver ! Et si on continuait la visite ? Il ne fait pas encore noir, ajoute-t-il en prenant une lampe de poche, mais la nuit va bientôt tomber. Il nous faut un peu d'éclairage.

— Tout le monde est prêt ? dis-je. Allons-y.

Tous me suivent dans le hall où un magnifique escalier mène à l'étage.

— Avant de monter, on ferait mieux de finir la visite du rez-de-chaussée, dis-je.

— On a déjà vu la salle à manger, la cuisine et la bibliothèque, fait Marc. Qu'y a-t-il d'autre ?

Les pièces dont les noms apparaissent près des clochettes. Le petit salon, par exemple. Dans la plupart des vieilles maisons, on trouvait ces pièces spéciales où on recevait les visiteurs. Je parie que c'est par là. (Je prends une porte à droite de l'escalier.) Vous voyez ! dis-je fièrement.

Nous sommes dans une grande pièce confortable garnie de meubles de style classique. Des fauteuils droits capitonnés, dont le dossier et les accoudoirs sont protégés par des carrés de dentelle, se font sagement face. Dans un coin trône un piano recouvert d'un somptueux châle en cachemire.

Un tableau à l'aiguille encadré est accroché au-dessus. Derrière un des fauteuils se trouve une table basse sur laquelle est posé un service à thé en argent. Une armoire vitrée pleine de bibelots de toutes sortes, comme des éventails en ivoire et des figurines en porcelaine, attire immédiatement l'attention de Karen et Patricia qui s'assoient devant pour en admirer le contenu.

Pendant ce temps, Jérôme et Bruno se sont approchés du piano. Jérôme se met à piocher un air sur le clavier et Bruno se joint à lui.

— Hé! hé! les gars, dit Marc. En voilà une façon de traiter un piano qui ne vous appartient pas !

— C'est le seul air qu'on connaît, répond Jérôme. C'est Stéphane qui me l'a appris. (Stéphane est le frère aîné de Jérôme et il prend des leçons de piano.)

— Moi, je sais jouer, dit timidement Joseph. Je peux essayer ?

— Du moment que tu y vas doucement, répond Marc.

Joseph s'assoit et se met à jouer un air très mélodieux.

— C'est très beau, dis-je quand il a terminé. Qu'est-ce que c'est?

— Ça s'appelle la *Sonate à la lune*, dit Joseph. C'est ce que j'ai joué à mon récital, l'an dernier.

— Où as-tu appris à jouer ça? demande Karen qui est venue se placer à côté de Joseph pendant qu'il jouait. Je n'ai jamais entendu une aussi belle musique.

Joseph rit.

— Merci, dit-il. Il a fallu que je pratique beaucoup, tous les jours.

— Quand on sera chez nous, je demanderai à papa si je peux suivre des cours de piano, dit Karen.

— Bonne idée, dis-je, remarquant qu'elle a dit « quand on sera » et non pas « si on arrive ».

Je lui souris. Puis, soudain, j'entends un grand fracas et je me retourne vivement.

Christian, David et Julien étaient en train de jouer avec les rideaux, et essayaient de voir comment ils ouvraient et fermaient. Ça me paraissait assez sûr et je les ai laissés faire. Mais dès que j'ai eu le dos tourné, Jérôme s'est joint à eux. Jérôme, « Le Désastre ambulant ». Il a le chic pour casser tout ce qu'il voit: lampes, vases, ou même ses propres os. Cette fois, il a réussi à tirer si fort sur un rideau qu'il l'a reçu sur la tête. Il tente désespérément de s'extirper de l'étoffe qui le recouvre, ce qui rend la scène plutôt amusante. On dirait une amibe géante qui se débat. Tout le monde éclate de rire. Même Jérôme qui essaie toujours de se dépêtrer.

Finalement, Charles vient à sa rescousse.

— J'espère qu'à l'avenir tu feras plus attention, dit-il. Il y a des objets de grand prix ici, ajoute-t-il d'un ton sérieux. Il faut que nous laissions cette maison comme nous l'avons trouvée, d'accord ?

Il regarde les enfants à tour de rôle, puis reporte ses yeux sur Jérôme.

Celui-ci hoche la tête.

— Je suis désolé, dit-il. Je ne voulais pas…

— Je sais, dit Charles en tapotant l'épaule de Jérôme. Ce n'est pas grave. Hé ! Marc, viens m'aider à remettre le rideau en place !

Il est temps de quitter cette pièce qui contient trop de choses fragiles et de grande valeur.

— Pendant que vous faites ça, nous, on monte, dis-je à Marc et à Charles. Vous viendrez nous rejoindre après.

Je rassemble les enfants, puis nous sortons dans le hall et montons.

Explorer une nouvelle partie de la maison me rend un peu nerveuse. Heureusement qu'on y voit encore suffisamment pour ne pas avoir à utiliser de lampe de poche !

Une fois en haut, nous découvrons un long corridor bordé de nombreuses portes closes.

— Ce sont sans doute des chambres, dis-je.

Je tourne la poignée de la première porte, qui s'ouvre sans difficulté.

— Oh! fait Karen en se pressant à mon côté. C'est chic.

En effet, c'est une chambre élégante. Elle contient un grand lit à baldaquin et une gigantesque commode, et il y a même un foyer. Le couvre-lit est bleu, comme le papier peint sur les murs.

— C'est peut-être la chambre bleue, dis-je en repensant aux clochettes dans la cuisine.

— Où mène cette porte? demande Christian en ouvrant une porte à côté de la commode. Oh! une salle de bains! Venez voir!

Nous découvrons une immense baignoire à pattes. Les robinets sont en or et le bec a la forme d'une fleur. Il y a aussi deux lavabos surmontés d'un miroir et les toilettes fonctionnent avec une chaîne. Une autre porte donne sur cette salle de bains. Je l'ouvre et nous nous retrouvons dans une chambre très féminine aux murs rose et blanc. Le portrait d'une jolie jeune fille aux cheveux noirs et au sourire triste et doux est accroché au-dessus du lit. Juste dessous, une petite plaque en cuivre porte la mention « Dorothée ».

— Elle est belle, dit Karen en regardant le portrait.

— Quelle chambre moche ! fait Jérôme.

Nous le suivons dans le corridor, puis dans la troisième chambre, celle d'un homme probablement, car les meubles en bois foncé sont massifs et le lit est couvert d'un couvre-lit brun. Il y a aussi une cheminée, au-dessus de laquelle est accroché le portrait d'un homme d'allure sévère en redingote. Jérôme s'approche pour lire la plaque en cuivre placée dessous.

À ce moment, Marc et Charles nous rejoignent.

— Qui est-ce ? demande Marc.

Jérôme avale sa salive.

— C'est écrit « Édouard Souci », murmure-t-il d'une voix effrayée.

— Tout se tient, dit Charles. Je crois que la route sur laquelle nous sommes s'appelle le chemin Souci.

— Ah oui ? fait Jérôme. Alors on doit être dans la maison Souci !

— Et alors ? demande Bruno. Qu'est-ce que ça fait ?

— Ça fait… commence Jérôme, ça fait que cette maison est hantée !

Les enfants poussent des petits cris.

— Qu'est-ce que tu racontes, Jérôme ? dis-je.

— C'est Stéphane qui m'en a parlé. Je croyais que c'était encore une de ses histoires de fantômes, mais on dirait que c'est la réalité ! Il paraît que des gens ont vu toutes sortes de choses bizarres, ici. Les lumières qui vacillent le soir, des portes verrouillées qui s'ouvrent toutes seules, de la fumée sortant de la cheminée…

Karen se penche en avant. Elle adore les histoires d'épouvante.

— Quoi d'autre ? demande-t-elle.

— Parfois, les gens voient une femme rôder ; il paraît que c'est le fantôme d'une femme qui est morte ici, ajoute Jérôme, le visage blême.

Mon cœur bat à toute vitesse, je dois intervenir avant que Jérôme continue.

— Je suis certaine que ce ne sont que des histoires qu'on raconte pour le plaisir, dis-je d'un ton ferme. Après tout, les fantômes n'existent pas.

Du moins, je l'espère.

CHAPITRE 7

Christine a raison, dit Marc. Les fantômes n'existent que dans les contes.

— Mais… commence Jérôme.

— Hé ! l'interrompt Marc. On continue l'exploration, d'accord ?

— Oui, dit Bruno. Je veux monter ce drôle d'escalier en colimaçon au bout du corridor.

— Moi aussi, dit Joseph.

— Moi, je veux retourner à la chambre de Dorothée, dit Karen.

— Dorothée ? dis-je.

— La fille du portrait, dit Karen. Je veux l'examiner une autre fois.

— Moi aussi, dit Patricia.

— Bon, d'accord.

Heureusement, les enfants ne semblent pas trop effrayés par le récit de Jérôme. Évidemment, je sais que cette maison ne peut pas être hantée, et je n'ai pas peur, moi non plus. En tout cas, pas trop peur. Je me tourne vers Marc :

— Monte avec Charles et les garçons. Moi, j'accompagne Patricia et Karen à la chambre de Dorothée.

Je conduis les filles à la chambre rose. C'est vraiment une jolie pièce. Le ciel de lit est en dentelle et le tapis qui couvre le plancher est orné d'une multitude de roses. Karen court vers une étagère pleine de livres.

— Je parie que Dorothée lisait toujours ces livres. Elle devait s'asseoir ici, devant la fenêtre, pour pouvoir regarder dehors.

Elle fait courir ses doigts sur le dos des livres.

— Je ne connais aucun de ces bouquins, dit-elle.

— Ceux que tu lis habituellement n'étaient même pas encore écrits du temps de Dorothée. Regarde, en voici un qui devait être son préféré ; les pages sont toutes cornées.

— Super ! fait Karen.

Patricia jette un coup d'œil dans le reste de la chambre.

— Regardez ce que j'ai trouvé dans un tiroir de la table de chevet.

Elle ouvre la main et nous montre un médaillon d'argent en forme de cœur et une petite clé en or.

J'hésite à ouvrir le médaillon. Même si elle n'habite plus ici depuis des années et des années, Dorothée a tout de même droit à son intimité. Je décide de ne pas l'ouvrir.

— Très joli, dis-je. Mais tu ferais mieux de le remettre où tu l'as pris.

Je jette un coup d'œil au portrait de Dorothée. On dirait qu'elle me sourit.

— Oh! oh! fait Karen. Regardez ce que j'ai découvert derrière les autres livres. On dirait que c'était une cachette.

Je regarde ce qu'elle tient à la main. En lettres d'or imprimées sur la couverture rouge, on peut lire «Mon journal».

— Karen, range ça immédiatement, dis-je. Il ne faut pas lire le journal intime des autres.

— Je ne pourrais pas de toute façon. Il est fermé à clé.

Elle me montre la petite serrure qui ferme le livre.

Patricia court la rejoindre.

— Tu crois que cette clé pourrait l'ouvrir? demande-t-elle en montrant la petite clé d'or à Karen.

Celle-ci prend la clé, l'insère dans la serrure, et le livre s'ouvre.

À cet instant précis, on entend un gros boum, comme le bruit d'une porte qui se referme. Nous

sursautons. Karen me lance un regard interroga-
teur.

— Ça doit être les garçons, dis-je.

Je ne leur dis pas que le bruit semblait venir
d'en bas, plutôt. Je frissonne et je me frotte les
bras comme pour me réchauffer.

— Elle a écrit ce journal à dix-huit ans, dit
Karen en parcourant la première page. La date
est inscrite : 1er janvier 1935.

— Karen, ne…

Trop tard, je suis prise au piège. Je sais que
ce n'est pas bien de lire le journal d'une autre
personne, mais ma curiosité l'emporte. Ça sera
une bonne leçon d'histoire, me dis-je pour me
justifier.

— Je peux utiliser la lampe de poche, Christine ? demande Karen. Cette écriture ancienne
est difficile à déchiffrer. Avec de la lumière, ce
sera peut-être plus facile.

Je lui tends la lampe, et Patricia et moi nous
penchons sur son épaule. Elle lit.

— « Jour de l'An, 1935. Quelle époque mer-
veilleuse est la nôtre ! Il paraît que la Dépression
tire à sa fin. »

Karen bute sur certains mots et me tend le
journal.

— Lis-le, toi. Son écriture est bizarre et c'est
plein de grands mots.

D'abord hésitante, je commence la lecture.

— « Dieu merci, papa a réussi à éviter la ruine et nous pouvons continuer à vivre comme avant. Mais je donnerais tout (et j'aurai peut-être à le faire) pour épouser A. S'il me demande en mariage, bien sûr. Je croyais qu'il le ferait hier soir, au bal du Nouvel An, mais il ne s'est pas déclaré. Pourtant, je sais qu'il m'aime ! J'en suis certaine ! »

Karen pousse un soupir.

— Oh ! que c'est romantique ! Continue.

— Une minute, dis-je.

Je lève un doigt. J'ai cru entendre un bruit. Comme un sanglot. Mais en écoutant plus attentivement, je ne perçois rien.

— Bon, je continue.

Soudain, j'ai hâte de connaître la suite. Je commence à me familiariser avec l'écriture et je peux lire plus rapidement.

— Le passage suivant est daté du 15 février. « Lendemain de la Saint-Valentin. Grande nouvelle. Albert m'a demandée en mariage hier soir, au cours d'un souper à l'hôtel. Il était tellement gentil et adorable, que j'ai accepté. Cependant, je n'en ai pas encore parlé à papa. Je sais très bien qu'il me désapprouvera. D'après lui, Albert n'est pas assez bien pour moi. D'ailleurs, il pense que personne n'est assez convenable pour moi. Je sais que papa m'adore, mais parfois son amour est étouffant. Si seulement maman vivait encore, elle pourrait le convaincre. »

Je pense à Anne-Marie. Elle et Dorothée ont plusieurs choses en commun.

Je poursuis le récit.

— « J'aime Albert et je veux l'épouser avec ou sans l'accord de papa. Mais une partie de moi se demande si j'ai pris la bonne décision. Si j'épouse Albert (ou, plutôt, quand j'épouserai Albert), je devrai quitter cette maison. Est-ce qu'il me sera alors possible de réaliser tous mes rêves, visiter l'Europe et les pays exotiques ? Ou bien devrai-je me contenter d'être une bonne épouse après avoir été une bonne fille ? »

Je fais une pause.

— Quelle jeune fille intéressante ! commente Karen. Je me demande si elle a réalisé ses rêves ?

— Continuons. On le saura peut-être.

Les passages suivants parlent d'Albert, mais aussi des rêves de Dorothée. Pourtant, Albert et elle continuent à planifier leur mariage.

— « Vendredi, 1ᵉʳ juin. Dans une semaine, Albert et moi serons mariés. Papa, comme je l'avais prévu, m'a interdit d'épouser Albert, alors j'ai décidé de me passer de sa bénédiction. Le mariage aura lieu le 8 juin. Albert demandera à papa la permission de m'emmener souper.

Mais au lieu d'aller à l'hôtel, nous irons à Mont-réal, où ce sera plus facile de nous marier sans l'autorisation de papa. Je suis tout à la fois anxieuse et excitée, triste et heureuse. »

Karen lève les yeux vers moi et sourit.

— Ils vont se marier ! dit-elle.

— C'est comme un conte de fée, ajoute Patricia.

J'ai hâte de connaître la suite, et je tourne la page.

— « Jeudi, 7 juin. Demain, c'est le grand jour ! J'ai rempli une petite valise que j'ai dissi-mulée dans les buissons. J'ai aussi écrit une note à papa expliquant mon geste et lui assurant que je l'aimerai toujours, même si je lui désobéis. J'espère seulement qu'il comprendra. Et j'espère qu'Albert comprendra que je ne veux pas me contenter d'être une épouse. Nous avons discuté de cela plusieurs fois, mais je pense qu'il com-mence à se rendre compte que je suis sérieuse. Demain soir, je serai madame Albert Blackburn. Ma nouvelle vie commence dans vingt-quatre heures. »

— Super ! s'écrie Karen. J'espère qu'elle sait ce qu'elle fait. Continue, Christine. Qu'est-ce qui se passe ensuite ?

— Rien. Je veux dire, il s'est sûrement passé quelque chose, mais il n'y a plus rien dans le journal. On ne saura jamais la fin de l'histoire.

Je ferme le petit journal et le replace dans sa cachette.

Karen observe le portrait de Dorothée.

— Ce n'était pas facile d'être une femme, autrefois, hein? dit-elle. Elle voulait quitter la maison de son père et le seul moyen pour y arriver, c'était de se marier avec ce garçon.

— C'est injuste, fait Patricia. J'espère qu'elle a pu voyager.

Je me perds dans mes pensées. J'aimerais vraiment savoir ce qui est arrivé à Dorothée. Mais comment faire? Soudain, je fige. On a frappé à la porte.

— Qui est là? dis-je tout bas.

— C'est moi, répond Marc en entrant dans la chambre. Charles et les garçons sont en bas. Nous avons exploré l'étage qui servait aux domestiques, et le grenier aussi. On a trouvé toutes sortes de choses super. On va manger un morceau parce qu'on meurt de faim encore. Venez!

Nous descendons rejoindre les garçons à la cuisine. Charles et Marc discutent pour savoir s'ils ne feraient pas mieux de sortir et d'aller chercher de l'aide.

— Je n'en peux plus d'attendre sans rien faire, dit Charles. On pourrait trouver un téléphone, au moins.

— Pas question, dis-je avec fermeté. D'abord, vous ne pouvez pas me laisser seule avec les enfants. Et de toute façon, comment traverserez-vous la rivière ? (Je jette un œil dehors.) Et regardez, la tempête ne s'est pas calmée du tout. C'est pire, même.

C'est vrai. La pluie tombe dru et le vent est plus violent que jamais.

Charles et Marc se consultent du regard et haussent les épaules.

— Tu as raison, admet Charles. D'ailleurs, il va bientôt faire nuit. Il faut rester ici.

— Parfait ! dis-je. On est en sécurité et on ne se fait pas tremper.

J'essaie de prendre un ton convaincant, mais je me demande jusqu'à quel point cette vieille maison abandonnée est un abri sûr.

CHAPITRE 8

Samedi

Ce n'était pas mon soir, c'est tout.
Premièrement, j'étais inquiète au
sujet de Christine et de Marc.
Ensuite, je me suis fait prendre
par la pluie et je suis devenue
verte. (Et jaune et violette.) Pour
couronner le tout, Jonathan a
commencé à poser toutes sortes de
questions embêtantes. Quelle soirée
pénible !

Juste avant de partir chez les Mainville, Claudia apprend que Marc, Charles, les enfants et moi ne sommes toujours pas rentrés. Pendant quelques instants, elle envisage d'annuler sa garde de façon à être disponible si on a besoin d'elle pour les recherches. « Après tout, se dit-elle, c'est une toute petite garde : monsieur et madame Mainville ne sortent que de dix-neuf heures à vingt et une heures. »

Puis elle réfléchit. Elle essaie d'imaginer ce que je dirais si elle annulait la garde, et elle conclut que c'est hors de question. « Je suis sûre que tu m'aurais dit que ça manquait de professionnalisme, me confiera-t-elle plus tard. Je me suis même dit que tu serais furieuse. »

Donc, Claudia se résout à aller garder. Elle engouffre un sandwich, se disant que Jonathan et Laurence auront certainement soupé. Puis elle se regarde dans le miroir et décide de ne pas se changer. Elle porte un bermuda en jean et un magnifique t-shirt qu'elle a teint elle-même, la fin de semaine précédente. Elle a mis deux boucles d'oreilles faites avec des morceaux de verre poli qu'elle a trouvés sur la plage.

Josée, sa sœur, entre au moment où elle s'apprête à partir.

— As-tu eu des nouvelles de Christine et des autres ? demande Josée.

— Non, répond Claudia. Personne n'en a. Je suis très inquiète.

— Je suis certaine qu'ils vont bien. Christine est une fille sensée et pleine de ressources.

Claudia lève les yeux au ciel. Sa sœur a l'air de croire que l'intelligence règle tout. Enfin, elle sait bien que Josée essaie de la rassurer.

— J'espère que tu as raison, dit-elle. Merci.

Claudia descend en courant et regarde à la fenêtre. La pluie, qui tombe depuis des heures, paraît vouloir s'arrêter. Le ciel est toujours chargé de nuages noirs, mais on dirait qu'il va se dégager bientôt. Alors Claudia décide de ne pas emporter de parapluie ni d'imperméable.

— À tantôt ! lance-t-elle à ses parents. Si on téléphone, je suis chez les Mainville.

Claudia a parlé au père de Marc et à Guillaume, ainsi qu'à Sophie, Anne-Marie et Diane. Tout le monde panique, mais il n'y a rien d'autre à faire que d'attendre.

Claudia sort et descend la rue. Les Mainville habitent tout près, à deux minutes de marche. Mais devinez ce qui se produit durant ces deux minutes ! La pluie recommence de plus belle. En quelques secondes, Claudia est trempée. Elle se met à courir et arrive pantelante sur le perron des Mainville.

— Oh ! zut ! dit-elle en se tordant les cheveux.

Elle n'a pas le temps de retourner se changer, alors elle hausse les épaules et sonne.

Jonathan ouvre brusquement. Il a quatre ans et c'est un des enfants que nous préférons garder parce qu'il est très mignon et presque toujours de bonne humeur.

— Salut, Claudia! dit-il. Hé! tu as l'air d'un arc-en-ciel!

Claudia le regarde, ébahie, puis suit son regard. Elle éclate de rire. Son short et ses chaussures de sport ne sont plus blancs, mais bariolés de vert, de mauve et de jaune. Son magnifique t-shirt a déteint! Même ses jambes sont colorées.

— Oh! non! dit-elle. Je n'en reviens pas.

Madame Mainville vient à la porte, tenant Laurence dans ses bras.

— Oh! mais tu es trempée! Préfères-tu retourner chez toi te changer?

— Non, je ne veux pas vous mettre en retard, répond Claudia. Je vais appeler ma sœur et lui demander de m'apporter des vêtements.

Claudia se rend à la cuisine sur la pointe des pieds pour ne pas tacher le tapis du corridor, et téléphone à Josée.

La demi-heure suivante est tellement occupée, que Claudia oublie presque notre disparition. Avant de partir, madame Mainville installe Laurence dans sa chaise haute.

— Je te la donnerais bien, mais j'ai peur de retrouver un bébé vert en rentrant, a-t-elle dit en plaisantant.

Laurence pleure quelques minutes, jusqu'à ce que Josée arrive avec les vêtements propres de Claudia. Elle est toujours intéressée par ce qui se passe autour d'elle et elle regarde Josée avec de grands yeux ronds.

Claudia remercie sa sœur et lui demande de rester quelques minutes, le temps de se changer. Dès qu'elle met le pied dans la salle de bains, elle entend Laurence crier.

— Qu'est-ce que je dois faire? demande Josée.

Malgré toute son intelligence, Josée n'en connaît pas autant que Claudia sur les enfants.

— Il doit y avoir une boîte de céréales dans l'armoire, répond Claudia. Donne-lui-en une poignée.

— Mais elle va renverser le lait sur elle!

— Sans lait! répond Claudia en riant. Juste des céréales. Les bébés adorent ça.

Elle se change rapidement, puis essaie de nettoyer ses bras et ses jambes. Au bout d'un moment, elle abandonne. La teinture ne part pas facilement. Elle retourne donc à la cuisine. Laurence mange tranquillement ses céréales, Jonathan chantonne et Josée semble déjà fatiguée.

— Je ne sais pas comment tu peux garder si souvent, dit-elle. Ça demande tellement d'énergie.

— Mais c'est amusant, dit Claudia. Comment vais-je faire partir tout ça? demande-t-elle en montrant à Josée les taches sur ses jambes.

Josée fronce le nez.

— Avec du solvant, sûrement. Je vais aller en chercher à la maison. Quelles sont les propriétés particulières de ta teinture?

— Hein?

— Rien, rien. Je vais trouver.

Dès que Josée sort, Laurence se remet à pleurer.

— Toi, tu n'aimes pas que les gens s'en aillent, n'est-ce pas? lui dit Claudia en la prenant dans ses bras.

La sonnerie du téléphone retentit alors. Avec Laurence (qui pleure toujours) dans les bras, Claudia se précipite pour répondre.

— Allô! c'est moi, Anne-Marie.

— Qu'est-ce que tu as à renifler? dit Claudia. Il est arrivé quelque chose?

— Non, je suis juste inquiète. Pourquoi ne téléphonent-ils pas?

— Je ne sais pas. Ils le feront dès qu'ils le pourront, je suppose.

Claudia remarque que Jonathan la regarde attentivement.

— Euh… je dois te laisser, dit-elle. Appelle-moi s'il y a du nouveau.

— C'est une mauvaise nouvelle? demande Jonathan quand Claudia raccroche. Tu as l'air triste.

— Non, tout va bien, répond-elle, étonnée de constater comme les enfants sont sensibles et perspicaces. Bon, on joue?

Laurence ne pleure plus, et elle s'amuse avec une des boucles d'oreilles de Claudia.

— Oui, à cache-cache!

— D'accord.

Avec Laurence dans les bras, elle se met à compter tandis que Jonathan court se cacher derrière une des grosses chaises de la salle à manger.

Quand Claudia passe près de la chaise, le petit sort de sa cachette en criant « Bouh! »

Laurence, effrayée, se remet à pleurer. Et le téléphone sonne de nouveau. Claudia court vers l'appareil. Cette fois, c'est Sophie. Elle n'a pas de nouvelles, mais espérait que Claudia en aurait. Quand celle-ci raccroche, Jonathan la dévisage.

— Qu'est-ce qui se passe? demande-t-il encore.

Cette fois, Claudia lui parle des Cogneurs qui ne sont toujours pas revenus, tout en essayant de ne pas dramatiser la situation. Ça n'empêche pas Jonathan de rester songeur.

— Ils sont où, tu crois ?

— Je ne sais pas. Mais dès que la pluie va cesser, ils vont sûrement rentrer.

— Et s'il pleut très, très, très longtemps ?

— La pluie va certainement arrêter bientôt, le rassure Claudia.

La sonnerie retentit de nouveau. C'est Diane. Claudia lui parle quelques minutes, puis comme elle va raccrocher, elle songe à quelque chose.

— Crois-tu que quelqu'un a pensé à appeler l'hôpital près de Saint-Antonin ? S'ils ont eu un... je veux dire, si quelque chose est arrivé, ils sont peut-être là. (Ouf ! elle a failli dire le mot « accident » devant Jonathan !)

— Bonne idée, fait Diane.

— Je vais essayer de me renseigner, dit Claudia.

Après avoir raccroché, elle joint la téléphoniste et obtient les numéros de trois hôpitaux. Ensuite, même si elle sait qu'elle ne devrait pas monopoliser ainsi le téléphone des Mainville, elle appelle. On n'a entendu parler d'aucun accident de voiture. Claudia ne sait pas si elle doit s'en réjouir ou s'en inquiéter davantage. *Pas de nouvelles, bonnes nouvelles*, dit-on parfois. Mais est-ce bien vrai ?

Jonathan la tire par le bras.

— Penses-tu qu'ils sont morts ? demande-t-il.

Claudia reste saisie. Jonathan semble bien trop jeune pour savoir quoi que ce soit sur la mort.

— Oh ! non ! Jonathan. Je suis sûre que non.

— Mais les enfants peuvent mourir, hein ?

— Oui, c'est vrai. Mais ça n'arrive pas souvent.

Toute la soirée, Jonathan pose des questions embêtantes. Claudia a du mal à répondre à certaines d'entre elles, mais elle le fait du mieux qu'elle peut. Quand les Mainville reviennent, elle prend madame Mainville à part et lui raconte ce qui s'est passé. Puis elle rentre chez elle et téléphone à Sophie.

— Tu peux venir dormir ici ? lui demande-t-elle. J'ai besoin de compagnie.

CHAPITRE 9

Je suis assise à côté de Marc à la table de la cuisine. Les enfants attendent que Charles leur coupe deux pommes en quartiers et divise le pain. Ils doivent être affamés, je le suis moi-même. C'est frustrant de ne pas pouvoir leur donner à manger à leur faim.

— Je veux voir ma maman, dit Karen soudain. J'en ai assez d'être ici. Quand est-ce qu'on rentre ?

— Moi aussi, je veux rentrer chez moi, dit Christian en reniflant. Je m'ennuie de ma chienne. Elle doit se demander où je suis. Je parie que personne n'a pensé à la nourrir.

Les plus jeunes des enfants doivent commencer à être fatigués et sont plus sensibles. Les plus vieux ne tiennent pas en place. Je ferme les yeux et je croise les doigts, espérant que l'électricité revienne. Avec de la lumière, ce serait bien plus facile. Il fait presque noir, mais il faudra encore un peu de temps avant que les enfants soient prêts à se coucher. Ce serait plus simple de les distraire s'il y avait de la lumière. Mais quand j'ouvre les yeux, il fait toujours sombre.

Je regarde autour. Les Cogneurs sont assis à un bout de la table, et les Matamores, à l'autre. Même s'ils ont joué ensemble quelques parties de balle molle, les enfants ne se connaissent pas vraiment. Et comme ils habitent dans des quartiers différents, ils ne s'amusent pas souvent ensemble.

Soudain, j'ai une idée.

— Écoutez-moi. Si on essayait de se connaître un peu mieux ? Tout ce que nous savons les uns des autres, c'est ce que nous avons vu sur le terrain de baseball. On sait que Julien est formidable au troisième but et qu'on peut toujours compter sur Patricia pour frapper la balle, et que Joseph et Bruno forment un tandem terrible. Mais si on essayait d'en apprendre davantage ? (Devant la mine intéressée des enfants, je poursuis.) Je vais commencer par vous parler de moi, puis on continuera avec quelqu'un d'autre, d'accord ?

Tout le monde approuve.

— Bon, dis-je. Vous savez tous que je m'appelle Christine Thomas. Ma meilleure amie s'appelle Anne-Marie Lapierre. J'aime les sports et les animaux, et voici ce que je n'aime pas : m'habiller chic, manger du chou, les écureuils, perdre une dent, les gens qui mâchent de la gomme la bouche ouverte.

J'aperçois quelques sourires. Je me tourne vers Patricia, à ma gauche, et lui dis de continuer.

Patricia a sept ans, elle est rousse et couverte de taches de rousseur, et elle a beaucoup de cran.

— Je m'appelle Patricia, dit-elle. J'ai trois frères et nous avons un cheval qui s'appelle Gingembre. Quand je serai grande, je veux être menuisière et conduire une moto. Après, je veux devenir Première ministre.

— Super ! font Joseph et Jérôme en chœur.

Julien, un garçon de neuf ans maigrichon aux cheveux bruns bouclés et au sourire malicieux, est le suivant.

— J'ai deux affreux petits frères et un chien. Je distribue les journaux avec mon ami Zazou. Son vrai nom est Jacques, mais on l'appelle Zazou. J'aime construire des forts dans les bois.

Tandis que la cuisine s'assombrit de plus en plus, chacun parle à tour de rôle. Je crois que les enfants s'amusent autant que moi. J'apprends, à leur sujet, une foule de choses que j'ignorais. Par exemple, je ne savais pas que Bruno Barrette avait une tante en Alaska. Même mon frère a une surprise pour moi : il dit se souvenir de m'avoir tenue dans ses bras quand j'étais bébé ! Marc me fait rougir quand il raconte que ce qu'il préfère, c'est « être avec Christine ».

À la fin, nous nous sentons tous plus proches les uns des autres, comme si, temporairement, nous formions une famille. Personne ne renifle plus ni ne demande à voir sa mère. Puis Marc suggère de retourner dans la pièce où se trouve la table de billard et d'y rester jusqu'à l'heure du coucher. Charles allume le fanal et conduit les enfants dans le hall. Je les entends discuter avec animation de ce qu'ils ont découvert sur les autres. Marc et moi restons seuls à table quelques instants.

— C'était chouette, dit Marc. Tu as eu une bonne idée.

— Merci, dis-je. Il fallait faire passer le temps et oublier nos problèmes.

— Oui, mais je crois que ça a eu un autre effet. Je pense que les Cogneurs vont être dorénavant une équipe encore meilleure. (Marc me sourit et touche ma main.) Tu es vraiment formidable, Christine Thomas, dit-il.

Je rougis une fois de plus. Heureusement, il fait trop noir pour que Marc s'en aperçoive.

— Viens, dis-je en prenant une lampe de poche. Allons voir ce qu'ils font. (Parfois, la présence de Marc m'intimide.)

Lorsque nous atteignons la bibliothèque, nous y trouvons les enfants groupés autour d'un des gros fauteuils en cuir. Le fanal est posé sur une table tout près et projette une douce lumière sur cette partie de la pièce. Le reste est plongé dans le noir. Jérôme, assis dans le fauteuil, tient un grand livre sur ses genoux et les autres enfants lisent par-dessus son épaule.

— Regardez ce qu'on a trouvé ! dit-il quand il nous voit entrer. Un cahier plein de coupures de journaux. Il était sur la tablette, là.

Il pointe du doigt une étagère près de la cheminée.

— De quoi ça parle ? demande Marc.

— De la famille Souci, répond Bruno d'un ton excité.

— Surtout de ce qui est arrivé à Dorothée, dit Karen d'un ton triste. La nuit où elle s'est enfuie.

Je me penche sur l'épaule de Jérôme.

— Que s'est-il passé ? dis-je en lisant un des articles intitulé *Jeune fille portée disparue*.

— Elle a disparu le soir du 8 juin, m'informe Patricia.

— Oh ! dis-je. C'était la nuit où elle devait s'enfuir avec Albert !

— C'est ça. Montre-lui la première coupure, dit-elle à Jérôme.

Jérôme revient au début du cahier. *Étrange disparition durant la tempête* titre l'article qui raconte comment Dorothée Souci a disparu durant le plus gros orage électrique jamais vu, alors que des pluies torrentielles s'abattaient sur la région et que les ponts du chemin Souci étaient emportés. Je sens un frisson dans mon dos. La nuit où Dorothée a disparu était une nuit d'orage comme celle-ci !

Jérôme tourne les pages et nous parcourons les articles avec avidité. Nous lisons une entrevue avec Édouard Souci dans laquelle on constate que la disparition de sa fille lui a brisé le cœur, et une autre avec Albert Blackburn où il révèle le plan qu'ils avaient échafaudé pour cette nuit-là. Il y a aussi des rapports de police et un article dans lequel le détective chargé de l'affaire déclare que Dorothée doit être considérée comme morte. *La jeune Souci s'est noyée durant l'orage*, dit le titre.

Selon les journaux, le corps de Dorothée n'a jamais été retrouvé, mais à la suite de son enquête, le détective a jugé que Dorothée devait s'être noyée en essayant de traverser la rivière déchaînée.

— C'est bien triste, déclare Patricia. Albert

l'attendait, et elle n'est jamais venue.

— C'est affreux pour son père aussi, dit Marc. Il a perdu sa fille parce qu'il ne voulait pas qu'elle se marie avec celui qu'elle aimait. Autrement, ils n'auraient pas été obligés de s'enfuir.

— C'est vrai, dis-je. Il a dû être très malheureux. Après tout, il ne voulait pas sa mort.

— Sûrement pas, dit Marc. Il semble qu'il n'ait plus été le même homme après la disparition de sa fille.

— Regardez la dernière coupure, dit Jérôme.

Nous lisons. C'est l'annonce de la mort d'Édouard Souci. Il est décédé le 8 décembre.

— Six mois à peine après la disparition de Dorothée, fait remarquer Charles.

Dans l'article, un voisin raconte qu'Édouard Souci est mort de chagrin.

— Oh! fait Karen. Je n'ai jamais rien entendu de plus triste.

Pendant un moment, nous restons tous silencieux, songeant à la tragédie qui s'est produite ici. Puis j'entends David pousser un cri à l'autre bout de la pièce.

— Venez voir ce que j'ai trouvé! lance-t-il, debout devant un grand pupitre, sa lampe de poche éclairant un tiroir ouvert.

— David, tu ne devrais pas fouiller dans les

affaires des gens! dis-je.

Trop tard. Déjà, il accourt vers nous avec un petit album en cuir à la main.

— Ce sont des photos, dit-il. Des photos de Dorothée, Albert et Édouard Souci.

Il nous montre l'album.

— Pourquoi Albert? s'étonne Marc. Il ne faisait pas partie de la famille!

— Je crois que je sais pourquoi, dis-je. Je parie que monsieur Souci a rassemblé ces photos après la disparition de sa fille. Il savait que Dorothée aimait Albert et c'était peut-être une façon pour lui de racheter sa faute. Il a voulu en faire un album de famille.

— Belle théorie, Christine, dit Charles en me souriant. Qui sait? Tu as peut-être raison. (Il regarde plus attentivement les photos.) Sa tête ne te dit pas quelque chose?

— Oui, fait Marc. Mais ça ne peut être qu'une impression. Aujourd'hui, ce serait un très, très vieil homme.

Je regarde la photo et constate que le visage d'Albert me semble familier.

— Il doit ressembler à quelqu'un qu'on rencontre tous les jours à Nouville, dis-je. Comme à la station-service ou au supermarché.

David referme l'album et pousse un bâillement. D'autres enfants l'imitent.

— Je crois que c'est l'heure d'aller se préparer pour la nuit, dis-je. On pourrait coucher dans cette pièce. Où avons-nous laissé ces…

J'allais dire « couvertures », mais à cet instant, on entend un grand claquement.

— Le fantôme ! s'écrie Jérôme.

Les enfants se mettent à hurler.

Charles s'empare d'une lampe de poche et court dans la direction du bruit. Il revient quelques instants plus tard.

— Pas de fantôme, dit-il. C'était seulement le gardien qui venait s'assurer que tout allait bien.

— Pourquoi n'est-il pas entré ? dis-je.

— Je ne sais pas. Il a l'air timide. Dès que je lui ai dit qu'on se débrouillait bien, il a disparu sans ajouter un mot.

Je regarde les enfants et je vois plus d'un visage effrayé. Charles a-t-il raison ? Est-ce que tout va vraiment bien ?

CHAPITRE 10

Les enfants sont effrayés, mais ils sont aussi épuisés. Bientôt, Karen bâille et se frotte les yeux. Puis les autres l'imitent. Avez-vous déjà remarqué comme le bâillement est contagieux ? Moi-même je bâille, même si je n'ai pas du tout sommeil.

Je devrais être fatiguée. Il est presque vingt-deux heures à ma montre, et j'ai eu une longue et dure journée. Mais, je me sens pleine d'énergie. Je me pose une foule de questions sur la famille Souci. Je suis un peu nerveuse — bon, disons passablement nerveuse — à l'idée qu'il y ait des fantômes dans la maison. Mais surtout, j'essaie de choisir le meilleur endroit pour nous installer.

— On devrait sortir les couvertures, dis-je à Charles et Marc. Les enfants peuvent dormir ici sur les canapés et les fauteuils.

— Pourquoi? demande Marc.

— Comment ça pourquoi?

— Pourquoi dormir recroquevillé dans un fauteuil quand il y a plein de lits en haut?

Je le regarde. Il a un peu raison. Les lits sont faits, les chambres sont dans un aussi bon état que le rez-de-chaussée. Il n'y a pas un grain de poussière et les draps et les couvertures ont l'air propres. Mais l'idée de dormir dans ces chambres me donne la chair de poule. On dirait qu'elles attendent quelqu'un, et je suis sûre que ce n'est ni moi ni notre bande de joueurs de balle molle. Mais comment expliquer cette sensation à Marc? C'est tellement ridicule. D'ailleurs, il n'y a pas que ça.

— Je pense que les enfants ne voudront pas être séparés et placés dans des chambres différentes, dis-je. Et puis, je ne crois pas que le vieil homme voudrait que nous couchions là. Pourquoi nous aurait-il donné des couvertures?

— Tu dois avoir raison, admet Marc.

Il regarde la pièce et ajoute:

— Mais je me demande s'il y aura assez de place ici pour tout le monde. On ferait peut-être mieux de retourner au salon et de s'étendre par terre. Le tapis est très épais. Et si tout le monde dort par terre, il n'y aura pas de dispute pour tel ou tel fauteuil.

Marc est habitué avec les jeunes.

— Logique, dis-je. Les enfants ! C'est l'heure de se coucher.

Munie d'une lampe de poche, je conduis la troupe au salon et Charles ferme la marche avec le fanal.

Marc prend une autre lampe de poche et va chercher les couvertures que nous avons laissées dans le hall.

— Bon, dis-je, quand nous sommes rassemblés au salon. Étendons les couvertures par terre, puis on décidera l'ordre dans lequel tout le monde ira à la salle de bains.

Les enfants étendent les couvertures sur le sol et je remarque avec bonheur que les Cogneurs et les Matamores se sont mêlés les uns aux autres. Joseph et David ont choisi un coin près d'un canapé. Karen et Patricia s'installent devant la cheminée. Julien, Christian, Bruno et Jérôme ont disposé leurs couvertures en étoile, de façon à avoir tous la tête au centre.

Je place la mienne à côté de celle de Karen et Patricia.

— Il ne reste plus de couverture, dit Marc. Je vais être très bien dans un fauteuil.

— Moi aussi, dit Charles. De toute façon, je ne pense pas dormir beaucoup.

En fait, personne n'a beaucoup dormi cette nuit-là.

D'abord, les visites à la salle de bains semblent durer une éternité. Nous y menons chaque enfant à son tour, en nous guidant avec une lampe de poche.

David fait une scène parce qu'il n'a pas sa brosse à dents.

— Je dois me brosser les dents tous les soirs, sans exception, dit-il. Guillaume me le répète toujours.

— Je sais bien. Mais ce soir, c'est impossible. Disons que tu as congé de brossage.

— Est-ce que Guillaume va être fâché? demande David.

— Mais non, c'est promis, dis-je, sachant bien que, quand nous rentrerons, Guillaume sera tellement content de nous revoir que le brossage des dents de son fils n'aura aucune sorte d'importance.

La crise suivante est causée par Patricia.

— Je ne peux pas me laver la figure sans ma débarbouillette de la petite sirène! dit-elle. C'est impossible.

— Alors, ne la lave pas.

Une fois les enfants installés sur leurs couvertures, je me dis que je vais être enfin tranquille. Mais non.

— Marc? fait la voix de Joseph doucement. Je veux un verre d'eau.

Marc se lève, va à la salle de bains et revient avec un verre d'eau. Cinq minutes plus tard, Joseph murmure à nouveau :

— Marc ? Il faut que j'aille aux toilettes.

J'entends Marc pousser un soupir, mais il se lève et emmène Joseph aux toilettes. Puis Karen, Julien, Patricia et Christian décident qu'ils doivent y aller eux aussi.

Ensuite, le silence retombe. Quel soulagement ! Soudain, j'entends un bruissement près de moi :

— Christine ?

C'est Karen. Elle m'informe qu'elle ne peut pas dormir sans oreiller.

— Place tes chaussures sous ta couverture, lui dit Charles. C'est comme ça qu'on fait au camp. Tu auras un très bon oreiller.

Il y a un peu d'agitation tandis que six des huit enfants décident de se faire eux aussi des oreillers. David et Patricia dorment déjà.

— Deux de moins, il n'en reste que six, dis-je en marmonnant.

Environ cinq minutes plus tard, j'entends la respiration de Karen devenir profonde et régulière. Elle s'est endormie à son tour.

— Et de trois ! dis-je en espérant que les cinq autres les imiteront bientôt.

Puis j'entends des ricanements provenant du coin où sont installés les quatre garçons.

— Chut ! C'est l'heure de dormir.

Les ricanements continuent.

Je me lève, m'approche et projette le faisceau de la lampe de poche sur eux.

— Qu'est-ce qui se passe ici ?

— Jérôme nous apprend une chanson drôle, répond Julien. Ça parle de…

— Je ne veux pas le savoir, dis-je. Calmez-vous et dormez.

Les quatre garçons posent immédiatement leur tête sur l'oreiller et font semblant de ronfler. Ils poussent de gros ronflements suivis de sifflements. Puis ils se remettent à rire.

— Ça suffit, dit Marc en se levant de son fauteuil. Le prochain qui fait du bruit ira coucher tout seul au grenier.

Silence absolu. Je souris et regagne ma couverture. Le silence persiste et je sens mes membres se détendre. La pluie tombe toujours, mais l'orage doit s'être éloigné puisqu'on n'entend plus le tonnerre et qu'on ne voit plus d'éclairs.

Cependant, des sons nouveaux m'inquiètent. Partout dans la maison, je perçois des craquements et des grincements. Je sais bien que ce n'est que la maison — Guillaume m'a dit que les vieilles demeures font ça — mais ce n'est pas rassurant. Parfois, on dirait vraiment des bruits de pas dans l'escalier, ou des portes qui claquent.

Je ferme mes yeux très fort et je me dis: «Les fantômes n'existent pas, les fantômes n'existent pas.» Puis je repense au portrait de Dorothée et à son petit sourire triste. Je ne parviens pas à chasser son visage de mon esprit.

Dorothée avait dix-huit ans quand elle est morte, à peine cinq de plus que moi. Elle a quitté la maison de son père, sachant que ça lui briserait le cœur, et elle est allée rejoindre l'homme qu'elle voulait épouser. Et elle s'est noyée dans les eaux froides et déchaînées de la rivière. C'est horrible de l'imaginer, emportée par le courant, et se débattant.

Je secoue la tête et j'essaie de penser à autre chose. À quelque chose de reposant. Au chalet de Guillaume où nous sommes allées un jour, mes amies et moi. À l'eau du lac qui miroitait au soleil et à notre promenade dans les bois.

D'habitude, le fait d'évoquer de beaux souvenirs me détend et je m'endors facilement, mais cette fois, ça ne fonctionne pas. J'ai toujours le visage de Dorothée en tête. Je reste là, bien éveillée, écoutant les respirations autour de moi jusqu'à ce que mes yeux se ferment finalement d'eux-mêmes et que je m'assoupisse.

Quand je me réveille, il fait toujours noir. Je prends une lampe de poche et je regarde ma montre. Il est passé minuit. J'ai le dos raide et je n'arrive pas à trouver de position confortable sur ce plancher. Charles ronfle lourdement et David parle dans son sommeil.

Je me lève et m'étire. La lampe de poche à la main, je vais et viens dans la pièce, jetant un œil sur les enfants. Ils semblent tous dormir paisiblement.

Je décide de retourner à la bibliothèque. Je passe entre les enfants pour gagner le corridor. Je suis habituée aux bruits de la maison, à présent, et mes craintes se sont envolées.

Je promène le faisceau de la lampe de poche sur la table de billard et les étagères de livres. Puis, je vais au pupitre et j'ouvre les tiroirs. Je sais que je ne devrais pas. D'ailleurs, n'est-ce pas ce que j'ai défendu à David ? Mais l'histoire de Dorothée Souci me fascine et je meurs d'envie d'en savoir plus long.

Dans le dernier tiroir, je trouve un autre album plein de coupures de journaux, plus récentes celles-là (elle datent de 1940 et plus). On dirait une suite d'articles, tous écrits par le même journaliste, sur le *Fantôme du chemin Souci*. Ils sont plus comiques que dramatiques, cependant, comme si le journaliste traitait le sujet avec humour et qu'il ne croyait pas vraiment aux fantômes. Ainsi, il raconte qu'un homme aurait aperçu une femme vêtue d'une longue robe de mariée trempée marchant le long de la rivière. Le journaliste présume que l'homme devait avoir trop bu. Puis il rapporte que des gens auraient vu de la fumée sortir de la cheminée, mais se demande si la fumée n'était pas plutôt dans les yeux des témoins. Tous les articles sont écrits sur le même ton léger et je les aurais trouvés amusants, si ce n'était pas exactement ce que Jérôme nous a raconté. Si ces histoires n'avaient aucun fond de vérité, pourquoi ont-elles circulé depuis cinquante ans?

Sous la dernière coupure de journaux, je découvre un papier ressemblant à un document officiel. En l'examinant de plus près pour voir de quoi il s'agit, je sens quelqu'un — ou quelque chose — près de moi. L'image de Dorothée me revient à l'esprit et je manque de crier.

— Qu'est-ce que c'est? chuchote Marc en se penchant sur mon épaule pour regarder le document.

— Que… qu'est-ce que tu fais là? dis-je, soulagée et fâchée à la fois.

— Je n'arrivais pas à dormir. Hé! c'est un titre de propriété de la maison, au nom d'Albert Blackburn. Il a dû acheter la maison à la mort de monsieur Souci. C'est curieux. Je me demande si elle est encore à lui.

— Moi, je me demande si c'est la raison

pour laquelle elle est si bien entretenue. Comme s'il s'attendait à voir revenir Dorothée.

Je montre à Marc les articles sur le *Fantôme du chemin Souci* et nous bavardons quelques instants. Puis nous poussons des bâillements et décidons de retourner au salon pour essayer de dormir. Les enfants vont se lever dans quelques heures et qui sait ce que demain nous réserve ?

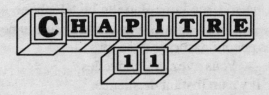

CHAPITRE 11

Samedi

Hum, je serais censée écrire au sujet de ma garde chez les Barrette. Normalement, je vous dirais que Suzon a été mignonne comme tout, que Marilou a fait tel ou tel exploit, et que Bruno a appris à son chien Salami à donner la patte ou quelque chose du genre. Malheureusement, je ne peux rien écrire de tel, parce que ma garde a été annulée. Madame Barrette avait l'air démoralisée quand elle m'a téléphoné pour me donner des nouvelles des Cogneurs.

Diane sait, bien sûr, que Bruno est porté disparu, avec moi et les autres. Mais elle se dit que madame Barrette aura peut-être besoin d'aide. Puis, dix minutes avant qu'elle ne quitte la maison, madame Barrette lui téléphone.

— Diane, je suis bien contente que tu ne sois pas encore partie de chez toi.

— Vous avez des nouvelles ?

Il y a un instant de silence.

— Pas la moindre, répond madame Barrette d'une voix tremblante.

Diane se sent très mal.

— Je suis désolée. J'espérais que vous me donneriez de bonnes nouvelles.

— Je voudrais bien. Mais pour l'instant, tout ce que j'espère, c'est que le dicton *Pas de nouvelles, bonnes nouvelles* soit vrai. Je vais annuler ma sortie de ce soir, je ne veux pas m'éloigner du téléphone.

— Je comprends. Voulez-vous que je vienne quand même, pour m'occuper de Suzon et Marilou ?

Diane préférerait garder ce soir, pour se tenir occupée, plutôt que de rester à la maison à se ronger les sangs.

— Merci, Diane, mais je crois que je peux me débrouiller. Les filles sont très fatiguées et elles vont sûrement s'endormir tôt. Elles ont eu une grosse journée.

Après avoir raccroché, Diane se met à errer dans le salon où lisent sa mère et Richard.

— Je n'en peux plus, dit-elle en s'affalant dans un fauteuil. L'attente me rend folle.

— Je sais, dit sa mère. Tu devrais t'occuper.

— À quoi? Ma garde vient d'être annulée.

— Tu pourrais ranger ta chambre.

— Je ne suis pas désespérée à ce point-là, maman.

Elles rient et Diane m'avouera plus tard que ça lui a fait beaucoup de bien. Soudain, le téléphone sonne et Diane se précipite pour répondre.

— Allô? dit-elle d'une voix avide, espérant de bonnes nouvelles.

C'est Anne-Marie, qui est toujours chez les Picard. Elle n'a pas de nouvelles et appelait justement pour en avoir. Elle dit à Diane qu'elle revient bientôt.

Diane se rassoit.

— C'est frustrant, soupire-t-elle.

Richard lève les yeux de son journal.

— La police fait certainement tout ce qui est possible, dit-il.

— Je sais, répond Diane. Mais mon amie est là, quelque part, avec une bande d'enfants que j'aime beaucoup. Je voudrais tellement partir à leur recherche, moi aussi.

Sa mère lui tapote la main.

— La tempête devrait s'achever bientôt, et les recherches seront facilitées. Je suis persuadée que la police aura de bonnes nouvelles demain matin.

— Demain matin ? répète Diane en se levant et en se mettant à marcher de long en large. Je ne tiendrai jamais jusque-là !

— Du calme, ma chouette, lui dit sa mère. Assieds-toi, je vais te servir un bon chocolat au lait.

Diane s'assoit, et boit son lait au chocolat, mais elle ne parvient pas à se détendre. Lorsque Anne-Marie rentre, elle trouve sa demi-sœur au comble de l'exaspération.

— Je n'en reviens pas que Christine n'ait pas encore donné de ses nouvelles ! fait Diane.

— Oui, réplique Anne-Marie, étendue sur le canapé, un coussin sur la poitrine. Ça ne lui ressemble pas du tout. Il doit s'être passé quelque chose de grave.

Un énorme coup de tonnerre claque dehors et les filles sursautent.

— Si au moins l'orage pouvait cesser, continue Anne-Marie.

— Il ne pourra pas durer éternellement.

Le téléphone sonne et toutes deux se jettent dessus. C'est Anne-Marie qui l'attrape la première.

— Allô? Christine?

Diane tend l'oreille vers le récepteur pour entendre.

— Non, c'est moi, Sophie, dit la voix à l'autre bout du fil. J'appelais seulement pour savoir comment vous alliez. Avez-vous des nouvelles?

— Rien du tout, répond Anne-Marie. On devient folles.

— Moi aussi. Et Claudia également. Elle est encore chez les Mainville et elle est en train de téléphoner aux hôpitaux pour... pour vérifier.

Anne-Marie écarquille les yeux. Elle sait que Sophie voulait dire «pour savoir s'il y a eu un accident», et elle ne veut pas y penser. Elle reste muette une seconde.

Diane saisit l'appareil.

— Sophie, c'est moi, dit-elle. Si Claudia apprend quelque chose, téléphone-nous. On attend.

— D'accord. À plus tard. Il vaut mieux laisser les lignes libres.

Diane raccroche et regarde Anne-Marie.

— Ça va? lui demande-t-elle doucement.

Anne-Marie semble être en état de choc.

— Oui, répond-elle. Mais j'espère qu'*eux* vont bien.

Diane n'a pas besoin de lui demander de qui elle parle.

— Moi aussi, dit-elle.

Elle croise les doigts, puis pour être plus sûre, elle croise aussi les orteils et souhaite très fort que le prochain coup de téléphone apportera de bonnes nouvelles.

C'est au tour d'Anne-Marie d'arpenter la pièce. Elle fait le tour du canapé, puis de la table basse. Chaque fois qu'elle passe près du téléphone, elle le regarde. Diane se dit qu'elle a dû se croiser les orteils, elle aussi.

— On devrait peut-être appeler Guillaume, suggère Diane au bout d'un moment. Juste pour voir.

Elle s'approche du téléphone.

Anne-Marie cesse de marcher et, gentiment mais fermement, lui retire l'appareil des mains.

— Guillaume et la mère de Christine doivent être assis devant le téléphone, en espérant qu'il sonne. Tu ne veux pas leur donner de faux espoirs, non?

— C'est vrai, répond Diane.

Anne-Marie recommence à marcher et Diane, à se ronger les ongles.

La sonnerie retentit.

— Ça doit être Christine! lance Anne-Marie en se ruant sur le récepteur. Allô? Oh! salut! dit-elle d'une voix déçue. (Elle couvre l'appareil de sa main.) C'est Claudia.

— A-t-elle appris quelque chose en appelant

les hôpitaux ? demande Diane.

Anne-Marie fait le message.

— Non, dit-elle au bout d'un instant. Rien. Elle demande si on veut aller passer la nuit chez elle. Sophie y va et Claudia va aussi appeler Jessie et Marjorie.

— Oui ! répond Diane. Aussi bien être ensemble que de se morfondre ici.

Près d'une heure plus tard, les membres du CBS — sauf moi, bien sûr — sont toutes réunies chez Claudia. Celle-ci a fait cuire du maïs soufflé et elle le passe à la ronde tandis que les autres discutent. Chacune raconte où elle se trouvait quand elle a appris la nouvelle de la disparition de la fourgonnette. Puis on parle de tous les coups de téléphone qui ont été donnés ici et là et des explications possibles.

Dehors, la tempête fait toujours rage.

Personne ne dort beaucoup cette nuit-là. Les filles étendent leurs sacs de couchage sur le plancher de la chambre de Claudia, mais elles sont trop énervées pour fermer l'œil. En attendant un appel, elles bavardent. Mais le téléphone ne daigne pas sonner, alors elles continuent à discuter. Au bout d'un temps, la conversation tombe et la pièce est plongée dans le silence. Diane remarque alors que le tonnerre a cessé et que la pluie ne tambourine plus sur le toit. Elle jette un coup d'œil à la pendule de Claudia. Il est deux heures et demie. L'orage est bel et bien terminé, enfin.

Au matin, le soleil brille.

— Je me sens déjà mieux, fait Diane en s'étirant. Je parie qu'on aura des nouvelles de Christine dans quelques minutes.

Mais le téléphone reste muet.

Finalement, Anne-Marie en a assez d'attendre.

— J'appelle chez Christine, dit-elle.

Personne n'a de nouvelles. Les Cogneurs et moi sommes toujours introuvables. Anne-Marie raccroche, visiblement bouleversée. Puis elle prend une grande inspiration et essaie de sourire.

— Je sais, dit-elle, on va toutes écrire quelque chose dans le journal de bord. Comme ça, quand elle rentrera, Christine saura à quel point on était inquiètes à son sujet.

Anne-Marie sort le journal de bord et le fait passer aux autres. Voici ce que chacune a écrit:

Chère Christine, ma meilleure amie pour toujours, je sais au fond de mon cœur que tu vas bien, mais s'il te plaît, reviens bientôt. Tu me manques trop.

Anne-Marie

J'espère que tu reviendras bientôt, Christine, parce que je n'ai pas envie d'être présidente à la prochaine réunion. (C'est une farce!) Sérieusement, tu nous manques beaucoup et nous nous inquiétons pour toi et les autres.

Diane

Le CBS n'est pas le même sans toi, Christine. J'espère que tu liras ces lignes bientôt.

Sophie

Tu me manques tellement que j'en ai perdu le goût des friandises. Il y a un bol presque plein de maïs soufflé qui t'attend ici.

Claudia

Je n'ai rien de plus à ajouter. Nous avons besoin de notre présidente!

Marjorie

J'ai hâte de voir ce que tu vas écrire dans le journal de bord en rentrant. Se perdre avec huit enfants, ce doit être l'aventure du siècle pour une gardienne! À bientôt,

Christine!

Jessie

CHAPITRE 12

Christine, réveille-toi ! Réveille-toi ! Il fait soleil ! L'orage est fini !

Karen secoue mon bras qui pend du fauteuil où je me suis endormie.

— Bon, bon, je suis réveillée ! dis-je en bâillant et en m'étirant.

J'ouvre les yeux et je regarde par la fenêtre. Karen a raison. Le ciel est bleu et quelques nuages cotonneux flottent ici et là. Je me frotte les yeux et regarde de nouveau. Pas un seul nuage noir à l'horizon.

— Youpi ! dis-je.

Non seulement nous avons fini par passer la nuit, mais nous pourrons peut-être bientôt rentrer chez nous.

— Devine quoi ? demande Jérôme en me tirant par l'autre bras. Il y a de l'électricité.

— Tu en es sûr ?

— Oui, répond fièrement Jérôme. J'ai fait le

tour et j'ai allumé toutes les lumières, pour voir.

— C'est très gentil, Jérôme, mais je crois que ça gaspille l'énergie. (Je lui souris.) Irais-tu les éteindre, à présent?

— Oui. Joseph et Christian vont m'aider.

Je suis la dernière debout. Je remarque que le fauteuil de Marc est vide. J'avais espéré me réveiller plus tôt, pour pouvoir me laver la figure et défaire les nœuds dans mes cheveux avant qu'il me voie. D'habitude, je ne fais pas attention à mon apparence, mais Charles et Sébastien m'ont souvent répété que le matin je n'étais pas une reine de beauté. Je n'ai pas envie d'effrayer Marc.

Je suis un peu courbatue, ce qui me semble plutôt normal après une nuit passée dans un fauteuil. Je vais dans le hall sur la pointe des pieds, je regarde à droite, puis à gauche, et je me précipite vers la salle de bains en espérant ne pas tomber sur Marc. Mais quand j'atteins la porte, je la trouve fermée. J'attends, tout en guettant l'arrivée de Marc. Enfin, la porte s'ouvre vivement et devinez qui sort! Marc lui-même.

— Bonjour, Christine! dit-il en souriant.

— B'jour, marmonné-je en me ruant tête baissée dans la salle de bains et en refermant la porte derrière moi.

Je me regarde dans le miroir. Je n'ai pas l'air

si horrible que ça, si on oublie que je suis en ce moment rouge comme une tomate. Je me sens ridicule. J'aurais pu être plus gentille avec Marc, au moins lui sourire.

Une fois débarbouillée, je vais à la cuisine, pensant y trouver tout le monde en train de grignoter. Il ne reste plus grand-chose à manger, mais une seule tranche de pomme ou un morceau de pain ferait mon affaire.

— Bonjour, la compagnie, dis-je en entrant.

Comme je l'avais prévu, les huit enfants, Charles et Marc sont assis autour de la table. Marc fait passer la nourriture.

— Salut, Christine ! Regarde ce que j'ai ! fait David en brandissant un objet en cuir tout chiffonné.

— Qu'est-ce que c'est ?

— Un gant de frappeur, répond-il. Je l'ai échangé avec Joseph.

— Contre quoi ?

Je me tourne vers Joseph. Parfois ces « transactions » peuvent tourner en véritable désastre. Les enfants échangent des objets de valeur contre des babioles, et leurs parents sont furieux.

— Des bandes de poignets ! répond Joseph en me montrant deux bandes de poignets en tissu éponge, ornées de l'insigne des Expos.

— Bon échange, dis-je, soulagée de voir que

David n'a pas donné sa plus belle paire de chaussures. Alors, Charles, qu'est-ce qu'on fait ce matin ?

— Eh bien, on va essayer de trouver un téléphone qui fonctionne. Quand je suis sorti, tantôt, j'ai entendu des tracteurs. Ils doivent avoir commencé à réparer les ponts.

Je vais à la fenêtre. Je vois notre fourgonnette, la maison du gardien... et le gardien lui-même qui se dirige par ici.

— Charles ! dis-je à mi-voix. Le gardien s'en vient !

Charles se lève pour jeter un œil, mais on frappe déjà à la porte. Il va répondre, avec moi sur ses talons.

Mon frère tire la grande porte. Le vieil homme est là. Dans la lumière matinale, il n'a rien d'effrayant. En fait, il a plutôt l'air triste.

— Les ponts sont-ils réparés ? demande Charles sans même dire bonjour.

— On est en train de les remettre en état, répond l'homme avec un sourire. Vous pourrez rentrer bientôt.

— Bonjour, dis-je pour faire oublier les mauvaises manières de mon frère.

Comme j'ai une question qui me brûle les lèvres, je n'attends pas sa réponse.

— Vous savez où on peut trouver un téléphone ?

— Vous devez attendre l'ouverture des ponts, dit-il.

— C'est vrai, dis-je, déçue. J'avais oublié.

— Vous avez bien dormi? demande le gardien en lançant un drôle de regard à Charles.

Je repense à ce qu'il nous a dit hier quand nous l'avons quitté. Était-ce un genre d'avertissement? Connaît-il les histoires sur le *Fantôme du chemin Souci*? Étions-nous en danger, cette nuit? Je le regarde d'un air suspicieux, mais Charles semble ne rien remarquer d'anormal.

— Oui, bien sûr, dit-il. On a très bien dormi. Merci beaucoup de votre hospitalité.

— Ce n'est rien, répond l'homme. Avez-vous besoin d'aide pour ramasser vos affaires? Vous pourrez sûrement repartir très bientôt.

Une fois de plus, je suis méfiante. Cherche-t-il à nous faire sortir d'ici le plus vite possible?

— Entrez donc, dit Charles. Christine, occupe-toi des petits pendant que je plie les couvertures et que je récupère les lampes.

Nous allons à la cuisine. Je rassemble les enfants et leur suggère de ranger leurs choses pour que nous puissions partir aussitôt les ponts réparés. Ils courent au salon, et Charles et moi les suivons. Marc reste à la cuisine avec le vieil homme.

Pendant un moment, le salon bourdonne d'activité. Tandis que Charles plie les couvertures avec certains des enfants, les autres courent ici et là, à la recherche de leurs chaussettes et de leurs souliers, s'assurant de ne rien oublier. Quelqu'un tire mon chandail. C'est Bruno.

— Christine ? Tu connais l'homme qui est là ?

— Oui, c'est le gardien.

— Eh bien, je sais à qui ressemblait Albert Blackburn, le fiancé de Dorothée.

— Mmmm ? dis-je, distraite par Karen qui se plaint de ne pas retrouver son bracelet.

— À ce vieux monsieur, dit Bruno. Le gardien.

— Quoi ? Qu'est-ce que tu racontes ?

Soudain, Bruno a toute mon attention.

— Le gardien. Il ressemble à Albert. Ou bien c'est Albert qui lui ressemble.

Je m'imagine Albert. Bruno a raison !

— Tu sais, lui dis-je, je crois que tu tiens une piste.

Tout à coup, je suis persuadée qu'Albert et le gardien ne font qu'une seule et même personne.

— Charles, peux-tu t'occuper des enfants ?

J'ai une petite enquête à terminer. Je retourne à la cuisine où je trouve Marc et le gardien qui discutent de pêche.

— Euh, excusez-moi, dis-je. Monsieur Blackburn ?

Je surveille sa réaction.

— Comment savez-vous mon nom ? fait-il, étonné.

— Une idée, comme ça. On a trouvé des coupures de journaux et...

— Alors vous croyez connaître toute l'histoire, n'est-ce pas ? dit soudain monsieur Blackburn, l'air agressif. Eh bien, les journaux n'ont pas tout dit.

— Ah ! non ? dis-je en me penchant vers lui. Vous pouvez nous raconter ?

— C'est une triste histoire, dit-il. L'histoire d'un homme qui a perdu l'amour de sa vie et ne s'en est jamais remis. Cet homme, c'est moi. Après la disparition de Dorothée, je ne me suis jamais vraiment rétabli. J'ai acheté cette maison et je l'ai laissée dans l'état même où elle était quand Dot — c'est ainsi que je la surnommais — y vivait. Je ne sais pas pourquoi, mais ça me réconforte. Cependant je serais incapable de l'habiter, elle renferme trop de souvenirs. (D'un large geste, il indique toute la maison.) C'est pourquoi je vis dans la maisonnette.

Plus il parle, plus on sent qu'il en a gros sur le cœur.

— Et le fantôme ? dis-je en retenant mon souffle.

— Le fantôme ? ronchonne-t-il. C'est une pure invention. Ce sont des ignorants qui racontent ces bêtises pour s'amuser.

— Mais les lumières ? Et la fumée qui sort de la cheminée ?

— C'est moi, dit-il. Pour entretenir la maison, il faut bien que je passe un peu de temps ici. Ce n'est pas mon intention de faire croire que la maison est hantée, mais les gens pensent ce qu'ils veulent.

Les enfants sont venus nous rejoindre et écoutent notre conversation.

— Et les revenants, monsieur Blackburn? demande Jérôme.

— Ils n'existent pas. Ni ici, ni ailleurs. Les fantômes sont le fruit de l'imagination.

Jérôme semble déçu.

— Bon, si vous avez besoin de quoi que ce soit, je suis à la maisonnette, ajoute monsieur Blackburn en se levant. Et vous pouvez m'appeler Albert.

Avant qu'aucun de nous puisse dire un mot, il est déjà dehors.

— Super! lance Marc. Quelle histoire!

— En effet, dis-je. Et toi, Jérôme, tu pourras dire à Stéphane que le fantôme du chemin Souci est une invention. Le mystère est maintenant résolu. Mais c'est quand même une belle histoire, non?

Jérôme approuve de la tête. Cependant, il garde son petit air désappointé. Il aurait préféré que les fantômes existent.

CHAPITRE 13

Voilà! fait Charles en se frottant les mains. Tout est dans la fourgonnette. Il ne reste plus qu'à attendre que les ponts soient rouverts.

Après le départ d'Albert Blackburn, nous avons passé une heure à ranger nos affaires pour pouvoir rentrer le plus vite possible. J'ai tellement hâte de téléphoner que j'ai du mal à tenir en place. Je sais que ma famille et mes amis — sans compter les autres parents — doivent être affolés d'être toujours sans nouvelles de nous. Pas le moindre signe de vie depuis notre disparition!

Si j'avais pu joindre quelqu'un, notre aventure m'aurait paru plus amusante. Après tout, c'était bien excitant de passer une nuit dans une maison apparemment hantée! Nous avons découvert l'étonnante et tragique histoire qu'ont vécue les habitants de cette demeure, et nous avons même rencontré un des acteurs du drame. Je sais que mes amies vont être très jalouses, surtout Diane, parce qu'il n'y a rien qu'elle aime mieux qu'une bonne histoire de fantômes.

Mais je n'ai pas aimé l'expérience, parce que j'étais consciente que tout Nouville s'inquiétait à notre sujet. Maintenant, le mystère Souci est chose du passé. J'ai juste hâte de retourner chez moi. D'ailleurs, Albert nous a bien affirmé que toute cette affaire de fantôme n'était que pure fantaisie, et il n'y a plus de mystère.

Une fois la fourgonnette chargée, nous sommes désœuvrés. Les enfants commencent à trouver le temps long.

— Quand est-ce qu'on rentre ? gémit Karen.

Joseph et Julien se disputent pour savoir qui jouera au troisième but lors de la prochaine partie. David se promène, s'assoit, pose sa tête sur ses mains, il a l'air de s'ennuyer.

— Ils ont besoin de bouger, me chuchote Marc à l'oreille.

— Oui, mais qu'est-ce qu'on peut faire pour les occuper ?

— Tu vois ce champ, dit Marc en pointant un pré plein de fleurs sauvages sur le côté de la maison, il est assez grand pour qu'on y joue à la balle molle.

— Bonne idée ! On a tout l'équipement. Mais on n'est que onze. Impossible de jouer une vraie partie.

— Mais je peux leur frapper des balles pour

exercer leur habileté au champ.

Nous appelons les enfants.

— Vous voulez jouer à la balle molle? leur dis-je. Juste pour le plaisir.

— Ouiiii ! crient-ils.

Nous ouvrons la fourgonnette et ils sautent dedans pour récupérer les gants, les balles et les bâtons. Cinq minutes plus tard, tout le monde est dans le champ.

Marc est dans une forme incroyable et il frappe des balles tantôt très hautes, tantôt au sol, tantôt en flèche. Nous nous amusons beaucoup. Même Charles participe.

— Hé ! s'écrie-t-il lorsqu'une balle passe au-dessus de lui.

— Je l'ai ! dit quelqu'un dont je ne reconnais pas la voix.

Je me retourne et je vois Albert Blackburn à l'autre bout du champ. Pour un homme âgé, il est plutôt rapide. Il attrape la balle à mains nues et la brandit en souriant. Nous l'applaudissons.

Il vient nous rejoindre, Marc et moi, et Charles accourt lui aussi. Albert halète un peu, mais il a l'air fier de son coup.

— Il doit me rester un peu du champ centre que j'étais, dit-il. Avant, je jouais avec l'équipe locale. Ça fait quarante ans !

— Bien joué ! dit Charles.

— Merci. Mais je ne suis pas venu ici pour

jouer. Le premier pont est prêt. Vous pouvez partir quand vous voulez.

— Merci, monsieur Bla... Albert, dis-je. Merci pour tout.

Je me retourne et, les mains en porte-voix, je crie :

— Les Cogneurs ! En voiture ! Prochain arrêt, Nouville !

Les enfants se précipitent vers la voiture.

Nous saluons monsieur Blackburn, lançons nos choses dans la fourgonnette et partons. Malgré moi, je retiens mon souffle quand nous passons sur le pont. Comme si je n'arrivais pas à croire qu'il soit déjà réparé. La rivière coule toujours très fort et l'eau boueuse charrie des branches d'arbres cassées.

— On a réussi ! s'écrie Karen dès que nous avons traversé. Maintenant, chez nous, vite !

— Oui ! lancent les autres.

Charles conduit en silence quelques minutes. Je le vois surveiller la route. Bientôt, nous atteignons un petit magasin et il s'arrête.

— Je vais demander le chemin, dit-il. Profites-en pour téléphoner à la maison !

Je n'avais pas encore remarqué la cabine téléphonique, mais dès que je l'aperçois, je me précipite à l'intérieur et je compose mon numéro.

— Guillaume ? C'est moi, Christine. On est tous sains et saufs. Et on rentre. On s'est fait prendre par l'orage. On sera là dans une heure.

— Christine… commence Guillaume, la voix tremblante. On vous attend, ajoute-t-il, essayant de paraître calme.

Je sens les larmes me monter aux yeux. Je sais que Guillaume est aussi ému que moi.

— Peux-tu appeler les autres parents, s'il te plaît?

— Bien sûr! Avec plaisir!

Je retourne à la fourgonnette où Charles a repris sa place au volant.

— Allons-y! dis-je. Ils nous attendent!

Malgré la petite boule dans ma gorge, je rayonne.

— Attends! fait Julien. Je veux appeler maman.

— Moi aussi! dit Joseph.

Soudain, une clameur surgit de l'arrière de la voiture. Tous les enfants veulent appeler leurs parents.

— Mon beau-père s'en charge, dis-je. Il me l'a promis. Et plus vite on sera rentrés, mieux ce sera.

Les enfants semblent comprendre. Charles démarre, et nous nous mettons à chanter, comme la veille. (On dirait que la partie contre les Raisins de Saint-Antonin est loin dans le passé!)

Moins d'une heure plus tard, nous entrons à Nouville. Je ne peux pas vous décrire comme c'est merveilleux de retrouver les rues familières. Je suis même contente d'apercevoir le cabinet de mon dentiste. Les enfants pointent les édifices et réagissent comme s'ils étaient partis depuis des mois.

— Voici la bibliothèque! dit Karen en me prenant le bras. Tu te souviens quand on est venues et que j'ai pris un livre sur les grenouilles?

— Si je me souviens? Ça fait deux jours seulement!

Tout le monde éclate de rire. Karen fait la moue, mais elle finit par rire à son tour.

— Hé! constate-t-elle, on est presque arrivés!

Deux minutes plus tard, Charles gare la voiture dans notre allée. Guillaume court à notre rencontre avec maman et Sébastien. Et derrière eux, il y a une foule de personnes. Je vois la mère de Karen, les parents de Bruno et madame Robitaille. Margot et Claire Picard sont là, avec Pascale et Jacques Cadieux, et Annie Papadakis. Il y a aussi des gens que je ne connais pas: sûrement les parents des Matamores. Tout le monde crie, rit et s'embrasse.

Guillaume et maman nous serrent dans leurs bras, David, Charles, Karen et moi. Maman renifle, mais elle sourit à travers ses larmes.

— Je savais que vous vous tireriez d'affaire, dit-elle. Je le sentais.

Elle se penche pour embrasser Karen encore.

Guillaume serre la main de Charles, et le félicite de nous avoir ramenés à bon port. Sébastien lui donne des tapes dans le dos.

— Christine ! Par ici !

Je regarde vers le pommier. Elles sont là ! Toutes les membres du CBS. Anne-Marie qui agite frénétiquement les mains, Marjorie et Jessie qui sautillent, Claudia, Diane et Sophie qui portent une gigantesque bannière sur laquelle je lis : BIENVENUE PARMI NOUS, LES COGNEURS ! Je sens les larmes rouler sur mes joues et je cours les rejoindre.

— On ne voulait pas se mêler à vos réunions de famille, dit Anne-Marie. Mais on est tellement contentes de vous revoir !

Elle m'enlace. Puis toutes les autres s'approchent et nous nous retrouvons toutes les sept dans les bras les unes des autres. C'est une tradition au CBS.

Pendant la demi-heure suivante, tout le monde va et vient dans notre cour, s'embrassant, riant, pleurant et se racontant leurs émotions. Puis, la place se vide peu à peu, les parents emmènent leurs enfants. J'embrasse les petits. J'embrasse Marc aussi qui est venu me donner un petit bec. Puis je dis à mes amies que je les verrai tantôt — nous avons décidé de tenir une réunion spéciale un peu plus tard dans la journée — et je rentre prendre une douche et manger une bouchée.

Comme je suis heureuse d'être à la maison ! D'être chez moi, dans mes affaires. De pouvoir ouvrir le réfrigérateur et voir de beaux petits plats appétissants. De m'étendre quelques minutes sur mon lit confortable, et d'aller ensuite me revigorer sous une longue douche bien chaude. Aaaaah !

Cet après-midi-là, dans la chambre de Claudia, je raconte aux filles notre nuit passée dans la fameuse maison hantée du chemin Souci. Tout comme je l'avais prévu, Diane est verte de jalousie. J'essaie d'expliquer que, finalement, il n'y a aucun mystère dans cette demeure, mais je ne parais pas très convaincante. Peut-être que je ne suis pas moi-même tout à fait convaincue. Quelque chose me tracasse — un détail dans cette histoire qui reste inexpliqué. Mais comme je ne réussis pas à mettre le doigt dessus, j'essaie de tout oublier.

Les autres me parlent de leur nuit et de l'inquiétude qui les rongeait. Puis Claudia propose que nous fassions une soirée-pyjama, le vendredi suivant. Nous trouvons toutes l'idée excellente et Sophie accepte même de prendre l'argent des cotisations pour acheter de la pizza.

Ce soir-là, étendue sur mon lit, je me dis que, finalement, on n'est vraiment bien que chez soi.

CHAPITRE 14

Bon, écoutez-moi, les filles, dis-je. Je crois que j'ai trouvé.

Personne ne me prête attention. Elles parlent toutes en même temps de sujets différents.

— Hé! silence! dis-je un peu plus fort. Il faut se décider.

Toujours pas de réponse. Les bavardages et les rires semblent s'être amplifiés.

— Voulez-vous de la pizza ou non? dis-je en hurlant.

Cette fois, je réussis à les faire taire. C'est vendredi soir, et toutes les membres du CBS sont chez moi pour une soirée-pyjama. Je dois commander des pizzas, mais j'ai besoin de savoir quelle garniture elles veulent. Ce n'est pas facile quand nous sommes sept avec des goûts différents! Je passe une demi-heure à essayer de voir comment je pourrais commander deux grandes pizzas qui contenteraient tout le monde.

— Bon, voici, dis-je. La moitié d'une des pizzas contiendra de la saucisse, pour Claudia et moi — et l'autre moitié, des oignons, avec plein de champignons, pour Jessie et Diane. La deuxième pizza sera mi-fromage et pepperoni, pour Marjorie et Anne-Marie, et mi-nature, pour Sophie et celles qui ne seront pas satisfaites de ce qu'elles ont. Ça vous va?

— Euh, Christine? fait Claudia. Tu as oublié quelque chose.

— Oh! non! Quoi?

— Ce que nous aimons le plus. Des anchois!

Elle se roule sur le lit en se tordant de rire. Les autres l'imitent et moi aussi. En fait, j'aime bien les anchois, mais les filles les ont en horreur.

— Qui mange ça? demande Sophie. C'est absolument immangeable!

— Tu veux savoir? dis-je. Sébastien!

Sophie pousse un cri. Elle et mon frère Sébastien ont repris plus ou moins leurs fréquentations depuis quelque temps. (Je ne vois pas ce qu'elle lui trouve!)

— Hein? s'exclame Sophie. Il aime vraiment ça?

Je fais signe que oui. Je pense que Sophie est

en train de remettre en question sa relation avec mon frère.

— Il en raffole même, dis-je pour la taquiner.

Puis je vais à la cuisine téléphoner à la pizzeria.

Quand je reviens, mes amies ont commencé à se raconter des histoires de fantômes. Depuis ma nuit passée dans la maison d'Albert Blackburn, les fantômes sont devenus un sujet d'actualité, autant aux réunions qu'à l'école. L'autre sujet, c'était ma bravoure !

La première fois que j'en ai entendu parler, c'était quand Catherine Marsan m'a arrêtée mardi dernier dans le corridor de l'école.

— Christine, m'a-t-elle dit, je déteste avoir à l'admettre, mais tu es formidable !

Que Catherine m'adresse un tel compliment tient du miracle. Elle et moi ne sommes pas amies et nous ne le serons sans doute jamais.

— Eh bien, merci, Catherine, lui ai-je répondu. C'est gentil de ta part.

Puis je me suis éloignée. Je ne savais pas du tout de quoi elle parlait.

— Attends, Christine ! a-t-elle dit en me suivant. Il faut que je te demande... as-tu vraiment senti la main froide et gluante du fantôme quand l'horloge a sonné minuit ?

— Quoi ?

Ma première réaction a été de croire que

Catherine n'avait pas toute sa tête. Mais en y repensant, je me suis dit qu'on devait lui avoir raconté notre nuit sur le chemin Souci. Bon, je suis assez fière d'avoir traversé cette nuit-là, pas à cause des fantômes, mais parce que j'avais huit enfants sous ma responsabilité et qu'ils ont tous survécu.

— Excuse-moi, Catherine, mais il faut que j'y aille, lui ai-je dit pour couper court.

Et je suis partie pour la cafétéria retrouver mes amies.

— Diane, ai-je lancé en posant mon plateau à côté du sien quelques minutes plus tard, j'ai comme l'impression que tu as raconté ma nuit dans la maison hantée à tout le monde.

Je savais que Diane était la responsable, parce que c'est la seule à pouvoir imaginer des détails comme cette « main froide et gluante ».

— Euh, bien… a commencé Diane avant de baisser le nez sur son sandwich aux tomates et aux germes de luzerne.

— Ça va, n'en parlons plus, ai-je dit. Mais tu aurais pu me dire ce que je suis censée avoir fait !

Le visage de Diane s'est illuminé.

— J'ai peut-être exagéré un tout petit peu. Disons que j'ai ajouté quelques fioritures. J'espère que tu ne m'en veux pas.

Non, je ne lui en voulais pas. C'est bien amusant d'être une héroïne à l'école.

Donc, après avoir commandé les pizzas et être revenue dans ma chambre, j'entends Claudia en train de raconter une histoire de fantômes:

— Alors, trois jours plus tard, dit-elle, le gars se rend à la maison que lui avait indiquée la fille qui faisait de l'auto-stop. Il frappe à la porte. Quand la femme vient ouvrir, il lui montre le chandail. (Elle prend une profonde inspiration.) Et il lui dit que sa fille l'a oublié dans sa voiture.

— Oui? fait Diane avidement. Et ensuite?

Claudia se penche en avant.

— La femme lui apprend que sa fille est morte depuis quinze ans!

Tout le monde retient son souffle.

— Elle l'emmène finalement au cimetière et lui montre la tombe de sa fille, termine Claudia. C'est fou, n'est-ce pas? Mais c'est vrai. C'est arrivé à l'ami de ma cousine.

— Impressionnant! fait Diane. Il faut que je me souvienne de celle-là.

— Tu devrais écrire un livre d'histoires de fantômes, lui dit Marjorie. Claudia et moi, on ferait les illustrations.

— Bonne idée, dit Anne-Marie.

— Un jour, peut-être, dit Diane. Pour l'instant, c'est juste amusant de les raconter et de les écouter dans des circonstances comme ce soir.

Une demi-heure plus tard, nous avons épuisé notre répertoire d'histoires de revenants et commençons à parler de choses et d'autres, quand soudain, on frappe à ma porte.

— Ce doit être la commande ! dis-je en me précipitant pour ouvrir. Dans l'entrée de ma chambre se tient un garçon livreur avec deux boîtes de pizzas dans les mains.

— Deux grandes pizzas, fait-il. Double anchois sur chacune !

Je reste bouche bée et j'entends hurler mes amies.

— Des anchois ?…

Sébastien surgit derrière le garçon.

— Je vous ai bien eues ! crie-t-il.

Je paie le garçon.

— Par simple curiosité, dis-je, combien t'a-t-il donné pour monter jusqu'ici et dire ça ?

— Un dollar, répond le garçon en souriant.

— Et il n'y a pas d'anchois sur ces pizzas, n'est-ce pas ?

— Non, mam'zelle.

Je prends les pizzas et je tire la langue à Sébastien.

— Merci. Je te verrai plus tard, toi.

Je ferme ma porte de chambre et pose les pizzas sur mon bureau. Nous avons déjà nos assiettes en carton et nos serviettes, alors nous commençons à nous servir.

Dès que chacune a sa portion, Claudia demande le silence.

— Je crois qu'on devrait porter un toast à Christine, dit-elle en levant sa pointe de pizza. À notre présidente, qui a survécu à une nuit dans une maison hantée !

— Et une nuit avec huit enfants, ajoute Anne-Marie en levant sa pointe.

Nous levons toutes nos pointes et les frappons les unes contre les autres. Puis nous éclatons de rire. C'est une tradition idiote, mais nous adorons ça. Je prends une bouchée.

— Miam ! C'est mieux qu'un morceau de pomme, un quignon de pain et de l'eau.

— Dommage que vous ne m'ayez pas emmenée avec vous, dit Claudia. J'ai toujours plein de nourriture avec moi.

— Pour toi, des croustilles, c'est de la nourriture, dit Sophie en souriant.

— Mais c'est de la nourriture ! affirme Claudia. Ça se mange, non ?

Claudia semble prête à défendre les croustilles jusqu'à la mort.

À cet instant, on entend frapper.

— Qui est là ? dis-je en espérant que ce ne soit pas encore Sébastien et le livreur.

— C'est moi, Karen.

Karen et André sont ici pour la fin de semaine. Nanie a promis de les tenir loin de nous ce soir, et jusqu'à maintenant, elle y a réussi. Je regarde ma montre et j'ouvre.

— Karen, sais-tu l'heure qu'il est?

Elle secoue la tête.

— Il est vingt-deux heures. Tu devrais être au lit.

— Je sais. Nanie m'a couchée, mais je n'arrive pas dormir. Je n'arrête pas de penser à Dorothée Souci.

— Tu fais des cauchemars?

Les histoires de fantômes l'ont peut-être affectée, même si elle les adore.

— Non, répond-elle. C'est… (Elle s'arrête et regarde mes amies qui écoutent attentivement.) C'est seulement que je trouve qu'elle me fait penser à quelqu'un. Tu ne trouves pas, toi?

Karen ouvre la main et montre une petite photo de Dorothée, qu'elle a dû retirer de l'album que nous avons découvert.

— Karen! Tu as fait ça!

— Je sais que je n'aurais pas dû! dit-elle d'un air penaud. Je vais la rendre.

— De toute façon, à qui pourrait-elle te faire penser? Dorothée est morte!

— Pas nécessairement, intervient Diane. Son corps n'a jamais été retrouvé, tu te rappelles?

Diane a les yeux qui pétillent de curiosité.

Je prends la photo que tient Karen et je l'examine attentivement. Mes amies se pressent autour de moi pour la voir.

— Mais je la connais ! s'écrie Anne-Marie.

Je la regarde. Son visage est blanc comme un drap.

— C'est la femme qui tient le magasin de couture en ville. Vous savez, celui où j'achète parfois des patrons à broder ? (Anne-Marie regarde la photo de plus près.) C'est elle, je le jurerais ! Mais elle est bien plus jeune sur la photo !

— Tu as raison, dit Karen. C'est à elle que je pensais. Je vais souvent dans ce magasin avec maman.

Mon regard va d'Anne-Marie à Karen. Elles ont l'air sûres de ce qu'elles avancent.

— Bon. Alors, qu'est-ce qu'on fait ? dis-je.

CHAPITRE 15

Cette nuit-là, nous parlons longtemps. La possibilité que Dorothée soit encore vivante, après toutes ces années, est vraiment fantastique.

— Vous savez, dis-je, quand j'ai vu Albert Blackburn la première fois, je l'ai trouvé inquiétant et grincheux. Mais en le connaissant mieux, j'ai compris qu'il n'était pas si terrible que ça. C'est sans doute un vieillard que la tristesse et la solitude accablent.

— Alors, où veux-tu en venir ? demande Anne-Marie qui voit bien que j'ai une idée derrière la tête.

— Je pense qu'on pourrait essayer de les faire se rencontrer tous les deux, dis-je. Je pourrais demander à Charles de me conduire au chemin Souci. Je dirais à Albert que Dorothée a été retrouvée et il serait le plus heureux des hommes.

— Du calme, dit Sophie. Pas si vite. Et si ce n'était pas elle ? Ce serait assez pour le bouleverser davantage.

— C'est elle, murmure Anne-Marie. J'en suis certaine.

Claudia sort un sac de bonbons et en offre à la ronde.

— C'est une histoire tellement romanesque, dit-elle. Ce serait formidable si on pouvait les réunir. Mais il faut être prudentes. Elle s'est peut-être mariée.

Nous discutons de la situation sous tous ses angles et décidons finalement d'aller voir « Dorothée » au magasin, le lendemain. Nous ne savons pas si c'est une bonne idée, mais ça vaut le coup d'essayer. Puis nous nous empiffrons de friandises et regardons un film d'épouvante à la télé. Évidemment, nous ne dormons pas beaucoup, mais c'est normal pour une soirée-pyjama.

Quand je me réveille le lendemain, je jette un œil autour de ma chambre. Anne-Marie dort toujours sur le lit à côté du mien. Marjorie et Jessie, par terre dans leurs sacs de couchage, chuchotent en feuilletant un livre sur les chevaux. Claudia et Sophie sont devant le miroir et essaient les tout nouveaux rouges à lèvres et échangent des trucs de maquillage. Elles sont toujours en pyjama, mais leur visage est maquillé comme si elles allaient à une réception. Diane est pelotonnée dans mon fauteuil, un magazine sur les genoux.

— Tout le monde est prêt pour la sortie en ville ? dis-je en m'étirant et en bâillant. Après le déjeuner, bien entendu.

— Qu'est-ce qu'on mange ? demande Claudia.

— Guillaume m'a dit qu'il y avait des gaufres et des fruits, et maman m'a promis de faire son punch spécial : du jus d'orange, de la limonade et toutes sortes de bonnes choses mélangées.

— Splendide ! fait Anne-Marie en roulant hors du lit. Je suis prête !

— Attendez, je veux passer de vrais vêtements, dit Sophie.

— Mais on est toutes en pyjama, dis-je. Tu n'es pas obligée de t'habiller tout de suite.

— Je ne veux pas courir le risque que Sébastien me voie là-dedans, dit Sophie en tirant le coin de son pyjama.

— Tu lui pardonnes déjà sa blague sur les anchois ? dis-je pour la taquiner.

Quand nous avons fini de manger (Sébastien ne s'est pas montré le bout du nez — maman nous a dit qu'il était parti jouer au basket) et que nous sommes habillées, il est presque onze heures. Guillaume s'est offert à nous conduire en ville quand nous serons prêtes. Juste avant de partir, je me rends compte que je ferais mieux de téléphoner au magasin d'accessoires de couture pour m'assurer qu'il est ouvert.

— Quel est le nom de ce magasin? demandé-je à Anne-Marie en feuilletant les pages jaunes.

— *De fil en aiguille*, répond Anne-Marie. C'est près de l'animalerie.

— Le voici!

Je prends le combiné et compose le numéro.

— Allô? fait une voix de femme.

S'agit-il de Dorothée Souci? Je l'imagine, le récepteur à l'oreille, avec cet air qu'elle arbore sur la grande peinture accrochée au mur de sa chambre, dans la demeure du chemin Souci.

— Allô? répète la dame.

— Euh… Oh! bonjour! Euh… j'appelais juste pour savoir si votre boutique était ouverte, euh… mais elle doit l'être puisque vous avez répondu, euh… alors c'est tout, puisque c'est ouvert…

Zut! Elle doit penser qu'il s'agit d'une plaisanterie.

En effet, dit-elle en riant. La boutique est ouverte et ce, jusqu'à dix-sept heures. Vous connaissez notre adresse? ajoute-t-elle d'un ton affable.

— Oui, oui. Merci! dis-je.

Je raccroche en roulant les yeux. J'ai eu l'air

ridicule! J'espère que, lorsque nous arriverons au magasin, la dame aura oublié cet appel. Sinon, j'espère au moins qu'elle ne reconnaîtra pas ma voix.

Nous montons dans la fourgonnette. Au moment où Guillaume démarre, Karen accourt.

— Attendez-moi! dit-elle. Si vous allez à ce magasin, je veux vous accompagner! (Elle brandit la petite photo.) Je veux savoir si c'est la vraie Dorothée.

— Bien sûr, Karen, dis-je, un peu confuse de ne pas avoir songé à l'inviter.

Guillaume nous dépose, peu après, en face d'un petit magasin avec des tissus en vitrine et une élégante enseigne en bois.

— Cette boutique a un petit air accueillant, dis-je.

— Elle est très jolie, fait Anne-Marie. On y trouve de tout et la propriétaire est très avenante.

— Alors? dit Claudia. Qu'est-ce qu'on attend?

Elle pousse la porte et nous la suivons à l'intérieur. Une clochette tinte quand la porte se referme.

Un dame d'un certain âge et de belle apparence s'amène derrière le comptoir.

— Bonjour! dit-elle. Je peux vous aider?

Elle nous sourit, mais elle semble un peu surprise de voir sept adolescentes et une petite fille envahir son magasin. Elle aperçoit soudain Anne-Marie.

— Oh! bonjour toi! Ça va? Tu cherches encore un patron à broderie?

— Euh, non, répond Anne-Marie. En fait…

— On est juste venues voir, dis-je en l'interrompant. (Ce n'est pas encore le moment de lui révéler le véritable motif de notre visite.)

— Ah! tu es sans doute celle qui a appelé tantôt, dit la dame en me souriant. J'ai reconnu ta voix.

Je voudrais rentrer sous terre.

Elle me lance un regard compréhensif.

Je déteste avoir l'air embarrassée au téléphone, dit-elle. Est-ce la même chose pour toi?

J'approuve de la tête. Qui qu'elle soit, cette dame est vraiment gentille.

— Bon, alors fouinez tant que vous voulez. Si vous avez besoin d'aide, faites-moi signe.

Elle se penche et reprend le travail à l'aiguille qu'elle avait en main à notre arrivée.

Je me dirige vers un rayon où sont alignées des millions de bobines de fil de toutes les couleurs. Les autres me suivent et nous nous regroupons autour de Karen, qui nous montre la photo de nouveau.

— Vous croyez que c'est elle? chuchote Jessie.

Nous regardons la photo, puis la dame.

— Absolument, répond Anne-Marie tout bas.

— Elle lui ressemble beaucoup, dis-je. Qu'est-ce qu'on fait?

— Va lui demander, Christine, murmure Sophie.

— Moi? fais-je d'une petite voix aiguë.

— Bonne idée, souffle Claudia. Tu étais à la grande maison, après tout.

— Bon, d'accord.

Je jette un dernier coup d'œil vers la dame qui semble toute à son ouvrage. Karen me tend la photo et je prends une profonde inspiration. J'avance vers le comptoir, suivie de près par mes amies. La dame lève la tête et me sourit. Je prends une autre inspiration.

— Euh… la vraie raison qui nous amène ici, dis-je, c'est que nous voulions vous demander quelque chose.

Elle hausse les sourcils.

— Je ne sais pas comment aborder le sujet, alors je vous pose la question tout net. Êtes-vous Dorothée Souci?

La dame semble être en état choc. Elle reste muette.

Je lui montre la photo.

— Ma petite sœur, dis-je en pointant Karen, a trouvé ceci la fin de semaine dernière. Nous avons été coincés sur le chemin Souci, entre les deux ponts qui ont été emportés pendant l'orage.

Un homme, qui s'appelle Albert Blackburn, nous a permis de passer la nuit dans la grande maison, là-bas.

Je lui raconte toute notre aventure. Elle écoute sans dire un mot, mais je vois ses yeux s'agrandir chaque fois que je prononce le nom d'Albert Blackburn.

Lorsque j'ai terminé, elle reste silencieuse un instant, puis se met à marcher derrière son comptoir.

— Vous savez, commence-t-elle, j'aimais beaucoup Albert.

Je pousse un petit cri de surprise.

— Oui, avoue-t-elle, je suis Dorothée Souci. Enfin, je l'étais. Et comme je vous l'ai dit, j'aimais Albert Blackburn. Mais cette nuit-là, cette nuit d'orage, quand j'ai été emportée par le courant, j'ai compris quelque chose. (Nous sommes toutes penchées vers elle pour ne rien perdre.) En m'agrippant à la berge boueuse que j'avais réussi à regagner, je me suis rendu compte que, pour la première fois de ma vie, j'étais libre. Libre ! Seule avec ma destinée. Je n'avais plus à répondre de moi auprès d'aucun homme. Parce que, malgré tout son amour, je savais qu'avec Albert j'allais mener le même genre de vie qu'avec mon père : une vie surprotégée et étouffante. (Dorothée fait une pause et

141

semble très nerveuse.) Alors, je ne suis jamais revenue, continue-t-elle. Je savais que c'était horrible de leur laisser croire que j'étais morte, mais c'était pour moi la seule façon de prendre le contrôle de ma vie. J'y ai réussi. J'ai changé d'identité. J'ai voyagé partout à travers le monde. Ç'a été fabuleux. Et j'ai fini par m'installer ici, dans cette petite ville près du village de mon enfance. Comme j'ai toujours aimé les travaux d'aiguille, j'ai ouvert ce magasin il y a dix ans et j'y suis depuis ce temps.

Mes amies et moi sommes tellement ébahies que nous restons là à la regarder sans pouvoir prononcer une parole.

— Incroyable! dis-je enfin. Quelle histoire extraordinaire!

— En tout cas, c'en est une que je n'ai pas eu l'occasion de raconter souvent, dit-elle en souriant.

— Mais Albert? demande soudain Karen, l'air triste. Je pense que vous lui manquez beaucoup.

Dorothée hoche la tête.

— Moi aussi je m'ennuie de lui, parfois. J'ai eu une belle vie, c'est vrai, mais bien solitaire par moments.

— Pourquoi n'allez-vous pas le voir? dis-je sans réfléchir. Je suis sûre qu'il serait ravi de vous savoir vivante. Si vous pouviez lui rendre visite, ne serait-ce qu'une fois ?

Un instant, Dorothée semble décontenancée. Puis elle se met à rire.

— Savez-vous, je crois que je vais le faire ! Mon vieil Albert va avoir le choc de sa vie, mais vous avez raison. Maintenant que je sais où il est, il serait tout à fait normal que j'aille le voir.

En quittant la boutique, nous avons toutes le sourire aux lèvres. Tout est bien qui finit bien. Les Cogneurs ont eu une fâcheuse aventure, mais en sont sortis indemnes. Albert Blackburn et Dorothée Souci vont bientôt fêter d'heureuses retrouvailles, et le mystère de la maison hantée est enfin résolu.

— Mais je me demande quand même s'il y a un fantôme dans cette demeure, fait Diane. Après tout, les gens ont vu des choses !

— Diane ! dis-je. Tu exagères ! Tu n'abandonnes jamais une histoire de fantômes, n'est-ce pas ?

— Non ! C'est trop amusant !

D'une certaine manière, je la comprends. En repensant à cette grande maison inquiétante, je me surprends à souhaiter qu'elle ait été réellement hantée. Mais tout compte fait, je trouve la véritable histoire de la maison Souci plus intéressante que n'importe quel récit d'épouvante.

ACHEVÉ   D'IMPRIMER
EN   SEPTEMBRE   1995
SUR   LES   PRESSES   DE
PAYETTE & SIMMS INC.
À SAINT-LAMBERT (Québec)